Poética y poesía de
PABLO NERUDA

JAIME ALAZRAKI

Poética y poesía de
PABLO NERUDA

(PREMIO HUNTINGTON 1964)

1965
LAS AMERICAS PUBLISHING COMPANY
NEW YORK

PREFACIO

Pocos poetas hispanoamericanos del presente siglo han gozado de la atención puntillosa otorgada por la crítica a Pablo Neruda. Desde sus primeros libros la poesía de Neruda ha sido ocupación de panegiristas y detractores y desde entonces, y casi al margen de los valores intrínsecos de su creación poética, la polémica se hizo querella y ésta pleito gratuito. La actividad política de Pablo Neruda ha dado a unos razones para loas, a otros motivos para imprecaciones y a los dos bandos un pretexto para dibujar una imagen aberrada de su poesía.

Otra parte de la crítica ha glosado hasta la fatiga los temas de su poesía; es decir, ha puesto en una prosa seca y acartonada el material configurado en el poema. El resultado de esta pseudo exégesis ha sido que en lugar de ayudar al lector a ascender hacia la intensidad y los valores artísticos cuajados en el poema, le ha hecho olvidar el poema como entidad en sí misma para distraerlo en esas pocas ideas o sentimientos que han sido siempre el esqueleto de toda poesía.

El libro de Amado Alonso representa la actitud opuesta: estudia los meandros y recovecos del estilo de Neruda con sensibilidad y hondura. Con los utensilios de la estilística Alonso revela y completa la poesía de *Residencia en la Tierra;* al abrir sus hermetismos, la ilumina sin sacrificarla. Hace lo que Ortega apuntaba como tarea de la crítica: dotar al lector de un órgano visual más perfecto.

Pero, ¿es la poesía de Pablo Neruda un fenómeno aislado en la literatura hispanoamericana?; y si no lo es, ¿cuáles son sus conexiones?, ¿de qué manera se articula con las tradiciones literarias en Hispanoamérica? Estos interrogantes plantean el estudio de la poesía de Neruda desde un ángulo histórico-literario aun no investigado y esta perspectiva constituye uno de los planos de observación del presente estudio.

5

Al estudiar la poesía de Neruda en conexión con las tradiciones literarias gestadas a lo largo de los cuarenta y cinco años que abarcan su creación poética, hemos procurado suministrar al lector un relieve, un transfondo para una comprensión más cabal de su poesía. Así vista su obra se explica el que cada una de las etapas de su itinerario poético esté dominada por una estética diferente, y que dentro de cada una de estas modalidades hayan diversos matices y tonalidades; se descubre que las denominaciones de postmodernismo, vanguardismo y postvanguardismo se adecúan por igual para caracterizar la poesía de Neruda como para una clasificación más global de toda la poesía hispanoamericana de esas décadas; de la misma manera, encuentran una respuesta otros aspectos de su obra que de otra forma se nos ocurren arbitrarios o antojadizos.

La inclusión de algunos datos biográficos nos ha parecido de valor para fijar y explicar ciertos aspectos de la obra del poeta. Consideramos que esto es valedero y legítimo en el caso de Pablo Neruda, poeta de linaje romántico. Pero, junto a esto, nos hemos cuidado de no caer en el anacronismo de "causa y efecto", criterio todavía esgrimido por los defensores del método causal en un empeño por explicar la obra literaria con el uso exclusivo de determinantes psicológicas, sociales, económicas o políticas. En esto hemos seguido las advertencias de Wellek y Warren cuando con mucho tino puntualizan que el adecuado conocimiento de las circunstancias en que se ha producido una obra literaria, sin que pueda resolver problemas de descripción, análisis y valoración de la obra, puede verter luz sobre ella, contribuyendo a su mejor apreciación.

Al estudiar las afinidades literarias del poeta, no hemos pretendido hacer un estudio exhaustivo de sus fuentes sino más bien plantear sus adyacencias con otros autores en aquellos años que, por ser los de su formación y aprendizaje, cobran mayor relieve y son de alguna importancia en la consolidación de su estilo.

Ocioso es recalcar que hemos concentrado nuestra atención en la obra poética como tal, en ese binomio materia y forma que constituye en última instancia el ánima y la carne de toda poesía. Las designaciones poética y poesía están usadas para significar el estudio de su poesía estructurándose según una estética determinada: primero de factura postmodernista, después de parentesco vanguardista, luego plegándose a la poesía combativa, llamada social en la jerga literaria, para finalmente seguir direcciones que son creación del propio Neruda. Pero configurada en esta o aquella poética, vaciada en este o aquel molde, la poesía de Pablo Neruda conserva siempre un sabor original, nuevo, en la poesía hispanoamericana. Esta originalidad es la que ha permitido a Pedro Henríquez Ureña definir a Neruda como el poeta de mayor influencia en toda la América hispana.

Finalmente, quiero expresar mi sincero agradecimiento a Andrés Iduarte —maestro y amigo— por su ayuda, estímulo y valioso consejo.

Jaime Alazraki,
N. Y. Mayo de 1965

7

INDICE

I. INTRODUCCION

LAS TRADICIONES LITERARIAS EN LA POESIA HISPANOAMERICANA EN EL SIGLO XX

> La fijación del puesto exacto de cada obra en una tradición es la primera tarea de la historia literaria.
> Wellek y Warren, *TEORIA LITERARIA*

La definición de Pablo Neruda como "poeta continental"[1] es tal vez la más acertada para caracterizar su itinerario poético. Continental, pues su poesía se articula con los movimientos literarios más importantes del siglo que se gestaron en la América hispánica; y continental porque "his background is the entire Hispanic American world —confused, bitter, pessimistic, audacious; he is the interpreter of his times, the synchronizer of experiences and the assimilator of poetic forms."[2]

Atendiendo a este rasgo, tan peculiar como prominente, de la obra del poeta chileno, hemos creído indispensable iniciar este estudio de su poética con un esbozo de las direcciones o tradiciones literarias más importantes en la poesía hispanoamericana durante las últimas cuatro décadas que abarcan la creación poética de Pablo Neruda. Partiendo de estas tradiciones, fijaremos el ensamble natural de su poesía con formas y temas consagrados y, desde esta perspectiva, trazaremos las coordenadas para una mejor comprensión de la estética del poeta chileno y de su capacidad de transformación.

1. Dos momentos en el modernismo:

Estas tradiciones en la poesía hispanoamericana son más bien momentos, ya que difícilmente podría llamárseles escuelas, a pesar de sus manifiestos y banderas. El más prominente de todos es el modernismo, que se inicia en las postrimerías del siglo pasado y alcanza su plenitud en las dos primeras décadas de este siglo. El modernismo que alcanza su perfección con Rubén Darío (1867-1916) tuvo sus precursores en José Martí, Manuel Gutiérrez Nájera, Julián del Casal y José Asunción Silva; esta generación de poetas "nacida de la paz y de la aplicación de los principios del liberalismo económico y de la organización en América hispana,"[3] creará una estética y un movimiento que llevará su influencia a España y de sus fuentes se nutrirán las subsiguientes generaciones de poetas hispanoamericanos. Las primeras obras de Vallejo y Neruda, poetas tan distantes del modernismo en su madurez poética, son de corte modernista. Este aspecto del modernismo como matriz en donde se gestan las nuevas direcciones de la poesía hispanoamericana es el que aquí nos interesa.

⌊ El modernismo ha sido definido como "un movimiento de reacción a los excesos del romanticismo, que ya había cumplido su misión e iba de pasada, y contra las limitaciones y el criterio estrecho del retoricismo seudoclásico."[4] Sin embargo, el modernismo, que en su incipiencia cultiva el culto preciosista de la forma con marcada influencia del parnasismo francés, en su etapa posterior orienta su lírica hacia lo intimamente personal y hacia lo genuinamente americano. Estas dos etapas del modernismo se dan con claridad en la obra de su más alto representante: Rubén Darío.

El Darío de las *Prosas profanas* (1896), de quien José Enrique Rodó había dicho: "¡No es el poeta de América!" sin dejar de reconocer la maestría del nicaraguense,[5] aquel Darío que había escrito: "Si hay poesía en nuestra América, ella está en las cosas viejas: en Palenke y Utlatán, en el indio legendario y en el inca sensual y fino, y en el gran Moctezuma de la silla de oro. Lo demás es tuyo, demócrata Walt Whitman.", o bien: " . . . a un presidente de República, no podré saludarle en el idioma que te cantaría a tí, ¡oh, Halagabal!, de cuya corte —oro, seda, mármol— me acuerdo en sueños . . .,[6] aquel mismo Darío nos dará en *Cantos de vida y esperanza* (1905) la más sentida emoción americana; cesan los galanteos entre marquesas y abates, y las princesas y los pavos reales ceden su lugar a las inquietudes del Continente. El libro, dedicado a Rodó, es, tal vez, la mejor respuesta al pensador uruguayo. En el pórtico del libro hace referencia al cambio operado en su poesía:

Yo soy aquel que ayer no más decía
el verso azul y la canción profana[7]

Se ahonda el tono subjetivo y aparece la preocupación del más allá y el dolor de vivir. Sin embargo, la preocupación por la muerte lo había acompañado siempre y los motivos americanos no dejan de ser abundantes aun antes de la publicación de *Cantos de vida y esperanza.*[8] Por ello nos parece justa y sopesada la observación de Anderson Imbert sobre la unidad en la temática de Darío:

> Abstraer ciertos temas fundamentales y clasificarlos lógicamente apartaría lo erótico, lo social, lo estético, lo filosófico, etc. . . . , en un sistema ahistórico, construído fuera del tiempo. En Darío no hay una dinámica concepción del mundo, no hay una decisiva evolución temática, no hay períodos con rasgos exclusivos.[9]

El proceso del modernismo todo, que se inicia con el culto a lo exótico y un afán esteticista parnasiano, y evoluciona luego hacia un subjetivismo lírico hondo y personal, y el acento americano que profundiza luego en un vehemente americanismo, se resume en la obra de Rubén Darío, como lo ha puntualizado Max Henríquez Ureña en su *Historia del modernismo.*[10] El tema americano, que nosotros llamaremos "social" ateniéndonos a la acertada definición de Pedro Salinas,[11] y la estética pura se dan, pues, en Rubén Darío, sin que podamos deslindar, con exactitud de sistema, los cabos de estas dos venas que nacen en la poesía del nicaraguense.

Con el andar de los años la equilibrada e indivisible ambivalencia de Rubén Darío se abre en dos costados que alcanzan sus extremos: el colombiano Guillermo Valencia (1873-1943) llevará el modernismo a su ortodoxia siguiendo el cauce de la vena estética-parnasiana, y el peruano José Santos Chocano (1875-1934) hará de los exteriores de América (flora y paisaje) la masa de su poesía, llevando hasta el exceso de lo declamatorio y retumbante la vena social-americana. Estos dos polos, cuyo lecho común está en Darío, conserva en Valencia la nota parnasiana, el ingenuo preciosismo que ignora, en su inocencia, los retorcijones y las fierezas del inconsciente; "por exaltar temas griegos o romanos, medievales o renacentistas, olvidó los temas últimos de su propia conciencia; olvidó, pues, con tremendo olvido su propia misteriosa realidad humana."[12] Por ello, Guillermo Valencia representa un extremo en el modernismo: está demasiado entretenido con sus juguetes parnasianos para dirigir su atención a los misterios de la vida interior. En Chocano, que "usa el énfasis como escudo desde la adolescencia y su atmósfera se llama publicidad,"[13] lo social es "una trompa épica que sopla en loor al paisaje americano" en la expresión de Luis Alberto Sánchez;[14] llevará lo épico a lo decorativo y ornamental del escenario americano. Chocano se hace el especialista de la épica y algunos hasta llegan a llamarle "poeta de América;" pero el peruano, al quedarse en lo grandilocuente e inflado, es menos poeta social que el maestro, pues Darío había abordado lo social-humano en su poema "La Gran Cosmópolis" y lo social-político en su "Oda a Roosevelt," amén de lo social-nacional, caballo de Troya de Chocano. Pero por encima de estas diferencias, la hilaza social de la poesía de Chocano elevó el género a un estrato más alto, aumentando el caudal del reguero abierto por Darío.

Con Chocano y Valencia, pues se destrenzan los dos momentos contenidos en la obra del nicaraguense y ahora constituyen dos actitudes que inauguran sendas tradiciones en la poesía hispanoamericana; tradiciones que crecerán, se ahondarán y se enriquecerán hasta enfrentarse en un verdadero desafío. Pero el momento de la colisión es tardío y hasta mientras las dos direcciones hacen su camino, recorriendo los recodos, altibajos y curvas que el tiempo les irá imponiendo. Pedro Henríquez Ureña las ha definido cuando apenas nacían en las primeras décadas del presente siglo:

> Nuestra literatura ha seguido desde entonces (con la estabilidad política y el desenvolvimiento económico del continente) dos caminos: uno en el que se persiguen solo fines puramente artísticos; otro en que los fines en perspectiva son sociales.[15]

Este proceso en la literatura hispanoamericana se inicia con Darío, como lo hemos visto; las dos direcciones alcanzan sus pináculos con la vanguardia, o postvanguardia si se quiere, en la vena esteticista-purista, y en los escritores socialistas, ideológica y políticamente definidos, en la vena social. En este momento se enfrentan, y la controversia revistirá visos de

16

combate. "El primer ataque vino de un grupo de escritores socialistas, que eran por lo que se refiere a la forma literaria, "pasatistas", rezagados, en opinión de sus oponentes. Pero no duró mucho tiempo. Una parte del grupo de los innovadores literarios empezó a interesarse en los problemas sociales, y la mayoría de los socialistas aprendieron la técnica de la nueva literatura. Hoy día el poeta de mayor influencia en toda la América hispana, Pablo Neruda, es un atrevido innovador desde los dos puntos de vista, el social y el literario."[16]

Con Neruda, pues, se cierra el proceso iniciado con Darío. Hay una extraña semejanza entre el nicaraguense y el chileno: ambos llevan la dirección esteticista a su cúspide: Darío con *Prosas profanas* y Neruda con *Residencia en la Tierra*, después ambos se convierten y se hacen poetas sociales.[17] El primero nos explica:

> Yo no soy un poeta para las muchedumbres. Pero sé que indefectiblemente tengo que ir a ellas.[18]

Y el segundo:

> El mundo ha cambiado y mi poesía ha cambiado.[19]

Y luego respondiendo a los que preguntan sorprendidos qué ha pasado con la vieja poética, Darío escribe:

> Yo sé que hay quienes dicen: ¿Por qué no canta ahora con aquella locura armoniosa de antaño?[25]

Y Neruda:

> Preguntaréis: ¿Y dónde están las lilas?
> ¿Y la metafísica cubierta de amapolas?
> ¿Y la lluvia que a menudo golpeaba
> sus palabras llenándolas
> de agujeros y pájaros?[21]

Y finalmente aquellos bien conocidos endecasílabos, proverbiales para señalar el cambio en el credo poético de los dos poetas, cuya semejanza notaron ya varios autores.[22] En el pórtico de *Cantos* nos dice Darío:

17

Yo soy aquél que ayer no más decía
el verso azul y la canción profana,
en cuya noche un ruiseñor había
que era alondra de luz por la mañana.[23]

Y Neruda, como parafraseando al nicaraguense en su poema
"Nuevo canto de amor a Stalingrado," usando el mismo metro
y la misma rima:

Yo escribí sobre el tiempo y sobre el agua
describí el luto y su metal morado,
yo escribí sobre el cielo y la manzana
ahora escribo sobre Stalingrado.[24]

Pero entre estas dos etapas de la poesía hispanoamericana
que son Darío y Neruda, hay cuatro décadas de historia literaria (*Cantos de vida y esperanza* se publicaron en 1905 y los
poemas de *Tercera Residencia* fueron escritos entre 1935 y
1945 y solo se publican en 1947 como libro), cuatro décadas
que son las más proficuas y frondosas para la creación literaria en la América hispana.[25] La pregunta que se formula por
sí misma es: ¿Cómo llegamos de Darío a Neruda? El camino
aun cuando largo no es inabordable en los límites de esta
introducción. Lo que nos interesa señalar, como ya lo hemos
indicado, son las diferentes tradiciones literarias que al esla-
bonarse trazan ese arco que va desde *Azul* (1890) hasta *Odas
elementales* (1954). Estas tradiciones literarias son a manera
de vértebras con las cuales el poeta chileno construye su espina
poética, tema de este estudio, y de allí la importancia que
reviste para nosotros. Recorramos, pues, el arco en sus figuras
más destacadas, a través de aquellos poetas que hacen caminar
la poesía hacia nuevos horizontes.

2. *El postmodernismo en la poesía modernista*:

Con Valencia y Chocano la línea estética y la social se
independizan y se expanden en superficie. El crecimiento en
profundidad vendrá para la dirección social cuando poetas
de calidad estética, como Vallejo, abordan lo social y lo elevan.

18

Adviértase, sin embargo, que la dirección social más que un problema de estilo o de forma, es una temática, aun cuando el tema social, por ser tal, tenga algunas exigencias de estilo. La dirección estética, en cambio, irá creciendo y evolucionando, lenta y paulatinamente, hacia nuevas formas. Recordemos que el propio Darío trata lo social con la misma elegancia y aristocracia poética que se trasunta en toda su obra modernista. Concentremos nuestra atención, pues, en la dirección estética, siendo como es la de mayor trascendencia en la evolución de toda literatura.

Entre los poetas llamados modernistas, ¿quiénes son los que hacen avanzar el modernismo de Darío hacia nuevos horizontes estéticos? El uruguayo Julio Herrera y Reissig (1875-1910), muerto seis años antes que su maestro, ya está más adelante que él en esa trayectoria que estamos siguiendo. Darío había declarado en *Los raros* "Si soy verleniano no puedo ser moreista, o mallarmista, pues son maneras distintas," corroborando de esta manera lo que con claridad se refleja en su poesía, parnasiana, más cerca de Verlaine, que ya había declarado su oposición a los simbolistas, que de Mallarmé. En efecto: las exquisiteces, exotismos y refinamientos de Darío están más cerca de los parnasianos que de los simbolistas. De Baudelaire tomará su exaltación de la belleza y de la realidad, pero en cambio soslayará aquella otra mitad que está tan presente en su obra como la primera: su nihilismo traducido en una sed y temor por la nada.[26] No hay en la poesía del nicaraguense esa tensión "constante y terrible entre el éxtasis y el horror por la vida"[27] que atraviesa toda la obra del francés. Darío tomará de Baudelaire sus himnos a la belleza, que son sólo una cara del Jano baudelairiano. En Mallarmé progresa el costado nihilista de Baudelaire y el poema se orienta ahora a explorar los dominios más secretos de la subjetividad a través del culto a la palabra como supremo valor en sí mismo, como un puro "juego de espejos." De Mallarmé tomará Darío el tono frívolo que campea en algunos de sus poemas y un escepticismo que considera al arte como superior a la vida; pero mientras en Mallarmé esto es lo vertebral, en Darío es solo un acorde que suena junto a las fiestas, los vinos, los paseos, los besos, las mitologías, los orientalismos y la Francia rococó. En cuanto al uso de símbolos, Darío continúa la tradición de la alegoría más que las innovaciones de la estética simbolista.[28]

B. Gicovate en su estudio *Julio Herrera y Reissig and the Symbolists* señala la influencia de Baudelaire, Verlaine y Mallarmé en la poesía más tardía de Herrera y Reissig. Herrera conocía ya las *Prosas profanas* y había cultivado los temas modernistas iluminado por Darío. Ahora tomará de aquel Baudelaire que se debate en los abismos de la nada no sólo algunos de sus temas más generales, sino detalles como: el interés por las drogas, la obsesión por los cementerios y las tumbas, los tratados de satanismo y la técnica de pasar de una inmediata realidad sensual a la evocación de mundos distantes.[29] En su poema "Manera de Mallarmé" intentará Herrera, imitando al francés, producir los efectos musicales que fascinaban a Mallarmé. Finalmente, Herrera será el primero en aprender las enseñanzas de los simbolistas en el manejo del símbolo, no como una fija y simple alegoría (cisne-belleza; princesa-virtud; etc. . . .), sino como un instrumento para expresar la intuición poética, que no puede ser expresada de otro modo. Las monedas usadas y gastadas por el manipuleo —como Mallarmé llamaba al lenguaje cotidiano de la feria y el mercado—, con un valor convencional o impuesto por el uso, son incapaces de representar los nuevos valores: los símbolos. De esta manera, el símbolo —construído con imágenes que los valores tradicionales no pueden traducir— puesto que expresa una intuición, deberá ser reencontrado por una intuición, esta vez la del lector. "Esta concepción del símbolo llevará a una ruptura en el orden del lenguaje, por la incoherencia aparente de las imágenes y por la ambiguedad y polivalencia de las metáforas."[30] Estas dificultades las encontramos ya en algunos poemas de Herrera y Reissig; así, por ejemplo, el soneto "Alba triste" de su libro *Los maitines de la noche* aparece acompañado en algunas antologías con la exégesis que hizo del poema el escritor Lauxar.[31] Sobre este problema nos explica Carlos Sabat Ercasty en la antología de Herrera compilada por Ercasty y Manuel de Castro, comentando *Los parques abandonados*:

El aporte de los poetas simbolistas ha sido totalmente aceptado por Herrera. La palabra está sacrificada en su sentido a la misteriosa virtud evocadora. El enlace verbal se realiza menos cada vez por el vínculo lógico y más cada vez por sus raíces enigmáticas.[32]

Y Bernard Gicovate, en su trabajo citado, analiza las dificultades en la comprensión del poema de Herrera "El despertar" de su libro *Poemas pastoriles y sonetos vascos:*

> Hence the difficulty of Symbolist poetry: it is not only a difficulty of understanding, of supplying missing logical links, or of unraveling the skein of unorthodox syntax, but also an absolute difficulty, occurring, as in this poem, even when the lines themselves seem perfectly clear to the eye of the casual reader.[33]

Hay en la vida de Herrera ese fatalismo y un desasosiego (había escrito de sus compatriotas: "Nada tan simple y tan reducido como la concepción que de los hechos tienen los uruguayos. Cautivos de la rutina, incapaces de la menor inducción, de un razonamiento que trasponga la línea de sus experiencias, de sondar una premisa con relación al futuro, dan vueltas en el estrecho círculo de lo evidente y lo atávico, chapoteando en el apocamiento unilateral de los sucesos y de las trivialidades de la vida diaria"[34]) que llevados a su poesía crearán lo que Ercasty describe como "una oscilación entre lo físico y lo expectral, entre lo real y lo soñado, entre Dios y Satán."[35] Tal oscilación nos recuerda la reversibilidad de su maestro Baudelaire, y de la misma manera que trás las huellas de Baudelaire vendrán Mallarmé, Valery, Eluard, Claudel, Apollinaire hasta el Superrealismo de Breton,[36] Guillermo de Torre señala, hablando de Herrera: "Los poetas jóvenes que le siguen perforarán las canteras barrocas de la obra del poeta uruguayo y Huidobro trasladará cautamente a sus libros las imágenes y metáforas de Herrera, que luego se extenderán a tantas páginas ultraístas."[37]

Jorge Luis Borges, adalid de los ultraístas argentinos, analizando un soneto de *Los parques abandonados* nos dice del mismo:

"Esta gradual intensidad y escalonada precisión del soneto — tan vecina de nosotros que su numerosa ausencia en los clásicos nos zahiere como una decepción— es asimismo significativa del arte actual."[38]

Herrera había escrito que "no es verso el que se canta sino el que se sueña, y que no hay que explicar lo que se sueña,"[39] con lo cual se adelanta varias décadas a sus contemporáneos; pero la poesía de Herrera está todavía lejos del automatismo onírico del superrealismo. Sus poemas, elaborados con pasión barroca de raíces gongorinas, trenzados con la imaginería simbolista y traspasados de esa pasión herreriana que palpita en cada verso, se mueven todavía dentro de la órbita modernista. Sus metáforas, con todo lo audaz y con todo lo que contienen de lo que vendrá, están enhebradas por una unidad temática que las encierra en collares de joyería modernista; sólo luego, sus discípulos romperán los hilos que las sostienen y las metáforas-perlas saltarán hacia todas direcciones.

Julio Herrera y Reissig es un puente por el cual el modernismo pasará hacia nuevas direcciones un par de décadas más tarde: puente para los postmodernistas y puente para los vanguardistas. Federico de Onís lo había dicho ya en un juicio que nos parece admirable para caracterizar la poesía del uruguayo:

Fué un artista consciente, y supo muy bien la correspondencia de su época con la del decadentismo culterano; aprendió mucho de Góngora y se adelantó a sus recientes intérpretes, siendo la suya una de las influencias capitales que llevaron el modernismo hacia el ultraísmo.[40]

3. *Postmodernismo*:

Pedro Henríquez Ureña define a la generación que algunos llaman postmodernista en los siguientes términos:

Entre el último grupo de modernistas, el grupo de Lugones, Valencia y Chocano, y el primer grupo vanguardista del siglo XX, el grupo de Borges y Neruda,

22

hubo una generación intermedia, nacida entre 1880 y 1896, que fue gradualmente apartándose de los ideales y prácticas de sus antecesores.[41]

El vocero de esta generación fue el mexicano Enrique González Martínez (1871-1952); en *Los senderos ocultos* (1911) primero, y luego en *La muerte del cisne* (1915) salió contra los abusos del preciosismo modernista, proclamando una lírica más personal y cercana a las voces del alma, dirección, que, por otro lado, ya había iniciado Darío en sus *Cantos.*

Iniciado como un devoto modernista, formado en el abolengo de los parnasianos y los simbolistas, al lanzar su soneto "Tuércele el cuello al cisne" formula un nuevo credo estético con un predominio hacia lo reflexivo y lo ético, que luego se transforma en un panteísmo lírico.

Pero, contrariamente a lo que podría pensarse, no hay en la obra de González Martínez saltos o malabarismos estéticos; a lo largo de su generosa obra poética mantendrá su fidelidad a la austeridad y al equilibrio de sus primeros libros, ahondando con serenidad en los problemas de alta humanidad que le preocupan.

Más que innovaciones en la forma, González Martínez profundiza el tono personal, se recoge en lo espiritual pero permanecerá fiel a su estirpe modernista. Su compatriota y amigo, Ramón López Velarde (1888-1921), siguiendo la línea introspectiva trazada por González Martínez, se hace el poeta de lo minúsculo y de lo cotidiano, pero, ¡qué de mundos nos revelará en esas nimiedades! López Velarde tiene la calidad poética para superar la amenazante caída hacia lo insustancial y vencer el natural prosaísmo de lo trivial; rechaza todo intento de poetizar lo cerebral y proclama la fuerza lírica de la emoción como el camino de realización de la belleza.[42] Lo espanta la posibilidad de una veta de falsedad en el poema; colocará a la sinceridad de la emoción como el supremo valor de la poesía genuina, de aquí su recelo por las retóricas y las recetas de escuela.[43]

Rechazó aquello del arte para las masas, y creyó que son las masas quienes deben ir al escritor y no él a ellas;[44] huyó de lo sencillo cuando lo sencillo exigía recortar el continente de la emoción para adaptarla al molde de los gustos del público, de allí su crítica al Nervo de los últimos años.

El contenido social, que había llenado ya una buena parte de la poesía hispanoamericana, no penetrará, en cambio, en el verso del poeta zapoteca. La poesía de corte cívico, como el aceite que flota en el agua sin poder mezclarse, no tiene cuerdas en la lira de López Velarde; a los patrioteros les responderá con esa austeridad que relampaguea en toda su obra:

> El asunto civil ya hiede. Ya hedía en los puntos de la pluma beatífica de aquellos señores que compusieron odas para don Agustín de Iturbide.[45]

Es la rebelión contra el mondonovismo modernista; en cambio, López Velarde cultivará con pluma templada lo que él mismo llama "criollismo". Su libro *La sangre devota* (1916) ya había elevado los temas de provincia a un plano no alcanzado hasta la víspera de su publicación, a pesar de que no era nuevo. Pero muy lejos de caer en el provincialismo, logra López Velarde en su propia poesía lo que él había dicho de Francisco González León:

> Quienes alimentan prejuicios, verán, en más de una página de este libro (*Campanas de la tarde*), como lo típico puede tratarse por un estro linajudo.[46]

Hay ya en López Velarde esa búsqueda de la mexicanidad, del ser mexicano, que la revolución de 1910 ha estimulado y que luego devendrá en una corriente literaria y artística de trascendencia universal. Pero en su nacionalismo no hay ni chauvinismos, ni xenofobias, ni la devoción indigenista que podría parecer natural; más que un tópico o un tema, lo mexicano es en López Velarde, como lo ha dicho Allen W. Phillips, "una condición de espíritu;"[47] el poeta mismo lo resumirá en una formulación feliz:

> " . . . no lo cobrizo ni lo rubio, sino este café
> con leche que nos tiñe . . . "[48]

Solo así se comprende que López Velarde haya escrito el mejor poema cívico de México —"Suave Patria"— y sea "el más mexicano de los poetas de su generación," como ha sido señalado.[49]

Lo que más nos sorprende en López Velarde, por lo admirable, es ese equilibrio entre la emoción poética y el lenguaje. Pareciera que nada sobrase. ¿Cómo ha logrado el poeta objetivar la emoción en el hecho linguístico sin lisiarla? Sin duda deberá superar los escollos que la madera opone a la gubia cuando esta busca arrancar de aquella su mensaje, deberá vencer las resistencias que la palabra gastada opone a la intuición fresca y reverberante. Cuán lejos está ya López Velarde del preciosismo parnasiano que hace de las formas un juego en sí mismo, del "puro juego de espejos" que llamaba Mallarmé. Nadie como el poeta es consciente del cambio operado en su generación; él nos dice:

. . . Se ha creído que el lujo de la expresión y, en general, el ornato retórico, deben buscarse lejos del temblor de las alas de Psiquis. Yo me inclino a juzgar que, por el contrario, para conseguir la más aquilatada elegancia de la expresión, nada mejor que cortar la seda de la palabra sobre el talle viviente de la deidad que nos anima . . .[50]

De esta elegancia, templada y ajustada con maestría al sentimiento caliente, somos testigos en cada verso del mexicano: no hay que esforzarse para ver trás la elegancia el "talle de mariposa de la deidad". Pero para tejer esas sedas de las que habla López Velarde, deberá el poeta buscar las hebras en la herencia modernista. La influencia de Herrera y Reissig en la poesía de López Velarde ha sido demostrada como hecho incontrovertible.[51] Hay versos del mexicano que bien pueden ser tomados como salidos de la pluma de Herrera: la misma adjetivación sorpresiva, el uso de palabras extravagantes, el léxico tomado de la vida cotidiana y de lo doméstico, la metáfora agresiva, la búsqueda afanosa de nuevos y originales recursos en el estilo. Es indudable, por otra parte, que los dos poetas tuvieron fuentes comunes en los simbolistas franceses y en particular en Baudelaire y Laforgue.[52]

Sin embargo, hay diferencias tonales y actitudes de espíritu que separan al mexicano del uruguayo y le confieren esa originalidad que lo eleva por encima de todas las posibles o seguras influencias de Herrera. Estas diferencias las resume Allen W. Phillips en su estudio sobre López Velarde:

> En primer lugar, el poeta mexicano no se abandona al satanismo decadente y faltan en su poesía todas las percepciones raras y malsanas con que el uruguayo pagó tributo a las modas del día. Tampoco se deja llevar por la suntuosidad decorativa y el exotismo de Herrera y Reissig. No llega nunca a las delirantes expresiones y verbalismos, poco menos que ininteligibles, que aparecen en la parte más patentemente barroca de la obra del uruguayo.[53]

Agreguemos nosotros, que mientras en la poesía de Herrera y Reissig se trasluce una constante voluntad de evasión de la realidad a través de la égloga, la wagneriana, o incursiones por los laberintos del sueño, huida que ya había notado su compatriota Sabat Ercasty,[54] en la poesía del mexicano hay un constante ir hacia la realidad, un enraizarse en ella para ahondarla y absorberla profunda:

> vivo la formidable
> vida de todas y todos

o bien:

> Uno es mi fruto
> vivir en el cogollo
> de cada minuto[55]

El *Lunario sentimental* de Lugones, manual de la metáfora para toda la generación postmodernista y trampolín de la poesía de vanguardia, está también presente en la obra de López Velarde. Recordemos que las semejanzas entre Lugones y Herrera, particularmente entre *Los crepúsculos del jardín* del primero y *Los parques abandonados* del segundo, habían suscitado una querella literaria entre los críticos del uno y del otro sobre la posibilidad de un plagio; así Rufino Blanco

Fombona en el prefacio a *Los peregrinos de piedra* de Herrera, publicado en París en 1914, acusaba al argentino de haber utilizado las novedades de Herrera. El retruco vino por parte del uruguayo Víctor Pérez, quien sugirió, en su artículo "El pleito Lugones-Herrera y Reissig", trás una puntillosa historia cronológica de la aparición de los poemas del uno y del otro, que la imitación venía por parte de Herrera. Finalmente Guillermo de Torre aporta la nota ecléctica, afirmando que los dos poetas evolucionaron hacia el mismo estilo.[56]

Ramón López Velarde expresó su admiración por Lugones en un artículo titulado "La corona y el cetro de Lugones" en *El don Febrero y otras prosas,* y en otras páginas de su prosa; en el referido artículo dice del poeta argentino:

. . . Confieso que viviendo aun Darío, Leopoldo Lugones se me aparecía, a las vegadas, como el más excelso o el más hondo poeta de habla castellana. Nunca supe cual de los dos era superior, y para colocarlos armoniosamente dentro de mí, fijaba en el cenit al padre de "Eulalia" y en el caótico nadir al inconmensurable autor de *El libro fiel.*[57]

Las frondosidades verbales de Lugones debieron deslumbrar al López Velarde empeñado en la fidedigna traducción de su emoción, aun a riesgo de las posibles oscuridades en la lengua. Sin embargo, puesto que la influencia de Lugones como la de Herrera estriban más bien en un estímulo vigoroso hacia la expresión novedosa, diferente de la parnasiana-preciosista de *Azul,* será difícil deslindar lo que le viene a López Velarde del argentino y lo que ha asimilado del uruguayo. Traigamos a colación lo que ha dicho Allen W. Phillips en el ya citado trabajo; el juicio nos parece acertado para caracterizar lo que une y separa a López Velarde de Lugones. Comentando las semejanzas del mexicano con el poeta francés Jules Laforgue, nos dice:

El cultivo de lo sorprendente y lo inusitado les gusta mucho, y ordenan en inesperadas yuxtaposiciones las percepciones más dispares. Verdad es que todas estas cualidades se hallan también en el *Lunario* de Lugones; pero lo que los separa con toda claridad del argentino es una marcada diferencia tonal. En Lugones predomina lo burlesco y lo socarrón, lo festivo y lo pintoresco, lo exuberante y lo regocijado. Por el contrario, en Laforgue y en López Velarde la actitud es en cierto modo más profunda: los dos esconden una inherente tristeza bajo la máscara de la ironía.[18]

Y agreguemos: mientras en Lugones falta la resonancia íntima y sus malabarismos metafóricos son artificios de pirotecnia verbal, en López Velarde las sombras de la metáfora y las oscuridades de su imaginería son linternas para alcanzar la claridad de la emoción.

Y resumamos: ¿Qué nuevos pasos ha caminado la poesía hispanoamericana con López Velarde? El poeta mexicano sigue la dirección introspectiva, presente en Darío y hecha credo por González Martínez, pero expresará esa subjetividad íntima y personal con la más decantada imaginería de sus maestros: Darío, Herrera y Lugones. Finalmente, lo que López Velarde llamó "criollismo" se transforma en una de las temáticas de alternativa de la generación postmodernista frente al exotismo de los orientalismos y afrancesamientos modernistas. Esta dirección iniciada por López Velarde en México[19] se extiende con diferentes matices y tonalidades por todo el continente: Luis Carlos López (1883-1950) en Colombia, Abraham Valdelomar (1888-1919) en el Perú, Evaristo Carriego (1883-1912) y Baldomero Fernández Moreno (1886-1950), a quien López Velarde conocía y había reseñado dos de sus libros, en la Argentina, Fernán Silva Valdés (1887-) en el Uruguay. Jorge Luis Borges y los martinfierristas recogerán el criollismo postmodernista y lo llevarán a un nativismo ultraísta, sin el sentimentalismo de Carriego y sin la cordialidad lírica y el "sencillismo" de Fernández Moreno.

4. *Romanticismo en el postmodernismo*:

Otra de las direcciones del postmodernismo es aquella que Pedro Henríquez Ureña ha llamado "romanticismo exal-

28

tado".[60] Esta poesía es romántica por su tono y sus temas; aquel culto recatado y sobrio a la emoción, de López Velarde, se hace ahora pasión desnuda: las mujeres abren su corazón y vuelcan, sin reticencias, sus penas, dolores, alegrías, deseos, amarguras, desilusiones, arrobamientos y frustraciones. Pero por la forma, esta poesía está lejos del desaliño y los descuidos del romanticismo. De sus antecesores han aprendido las técnicas del modernismo y las confesiones están poetizadas con todo el rigor de un arte depurado y verdadero.

Delmira Agustini (1886-1914), arando profundo, abre el surco de la poesía femenina en la poesía hispanoamericana. Luis Alberto Sánchez resume el puesto precursor que tuvo el verso de Delmira Agustini en el advenimiento de una lírica femenina:

Debe admitirse a cabalidad que, sin Delmira, habría sido menos fácil la plenitud de María Eugenia y María Enriqueta, y el advenimiento de Gabriela, Alfonsina, Juana, otros ilustres nombres de mujer, blasón de nuestra literatura.[61]

Esta lírica alcanzará su tono mayor con Gabriela Mistral. El acento es diferente en cada una: en Delmira Agustini es una obsesión erótica que se hace fuego; los ardores se trasuntarán en el verso, templados en arte, pero conservarán la tensión abrazadora del alma que los ha fecundado. En Juana de Ibarburo (1895-), en cambio, el verso reverbera una natural alegría de vivir y entre sus irizaciones puede descubrirse la mujer plenamente lograda; admirada y deseada por el hombre, hace gala de esa salud femenina con fina y elegante coquetería; sólo el peso del tiempo, que inexorablemente marchitará la lozanía de su juventud de rosa, arroja sobre su verso un rictus de tristeza, pero que en sí mismo está confirmando su apego a la vida. En Alfonsina Storni (1892-1938) hay un resentimiento amargo de mujer que se niega a aceptar su condición femenina de subordinación y dependencia de la voluntad masculina; se siente superior a esos "hombres pequeñitos" que la rodean, pero sabe que ineludiblemente deberá someterse a ellos; esta lucha humana deja una estela de ironía en su verso.

Hay en Alfonsina Storni esa visión de la feminidad que Federico de Onís ha definido como problema no solo individual, sino social.[62] Alfonsina Storni, bien entroncada con el grupo postmodernista, ensayará también el verso nuevo, vanguardista; pero lo mejor y más perdurable de su obra está hecho en esa factura romántica de la generación que estamos tratando. Gabriela Mistral (1889-1951) es no sólo el climax de esta poesía femenina, sino también una de las cumbres de la poesía en América hispana. Aprende con los maestros modernistas, pero su voz, traspasada de dolor, está más cerca de la vena romántica del postmodernismo. En su libro *Desolación* "queda sangrando un pasado doloroso", como ella nos lo ha dicho:[63] el amor, arrebatado por una muerte trágica, pero que no muere, se prolongará en lágrimas, en remordimientos, en "esperas inútiles", en "interrogaciones" acerca de la muerte, en obsesiones y deseos de morir. El tiempo traerá la serenidad a esta plétora de amor que ahora desborda en versos "sonrientes y frescos". Tras el trecho montaraz y agitado, el amor entra en su curso de llanura:

> Los niños cubren mis rodillas
> mirándoles las mejillas
> ahora no rompo a sollozar[64]

Y en la luminosidad del llano, tras las turbulencias y estremecimientos de la pasión fallida, "la vida es oro y dulzura de trigo/es breve el odio e inmenso el amor."[65]

Ese amor redimido, agigantado, se derramará ahora en la naturaleza: en los árboles, en los espinos, en las nubes, en alamedas otoñales, en las estrellas, en pinares y lluvias: son anticipos de lo que llenará su segundo libro *Tala* (1938). Y, finalmente, vienen las canciones de cuna, en las cuales traduce Gabriela Mistral su más acendrada ternura y amor hacia los niños. El amor, que es la savia de su verso, asciende luego a los humildes y dolientes, para tornarse más tarde preocupación continental por los pueblos de Hispanoamérica. Hay en su poesía un sabor americano, una fuerza telúrica inlocalizable, que corre por su verso como el eco ancestral del continente. No es "mondonovismo" ni "criollismo; es más bien una sensibilidad poderosa hablado en un lenguaje de hechura americana.

Anderson Imbert ha definido con ajustada exactitud la influencia de Gabriela Mistral en la poesía hispanoamericana:

Nunca se destacó como una revolucionaria de la poesía pero también contribuyó a la poesía de vanguardia. Su influencia no fue visible, pero, como un río subterráneo, regó la poesía contemporánea.[66]

Otros poetas que completan este grupo de románticos del postmodernismo son el colombiano Porfirio Barba Jacob (1883-1942), el argentino Arturo Capdevila (1889-) y el uruguayo Carlos Sabat Ercasty (1887-). Con esta tradición romántica-postmodernista tiene marcados contactos la poesía de Neruda; aun en lo más extremo de su superrealismo Neruda permanecerá un poeta "eminentemente romántico", como lo ha definido su mejor crítico, Amado Alonso.[67]

5. *En los límites del postmodernismo y la vanguardia*

Con César Vallejo (1892-1938) colindan el postmodernismo y la vanguardia. En su primer libro *Los heraldos negros* (1918) se advierte la influencia modernista. Un rápido rastreo a través de sus poemas permitiría localizar sin dificultad algunas afinidades con Darío.[68] César Vallejo tenía una profunda admiración por Rubén Darío y lo había expresado en más de una oportunidad. Xavier Abril nos cuenta de aquel "el viejo crece cada vez más"[69] con que Vallejo aludía a la grandeza de Darío, y de aquel "Nocturno" del nicaraguense que Vallejo solía repetir con devoción. El Darío de *Cantos,* que había escrito "el pensar que un instante pude no haber nacido," encontrará eco en Vallejo, no solo en lo que importa al estilo, sino en ese sentimiento trágico que acompañará al peruano toda su vida, como cuando nos dice: "y nuestro haber nacido así sin causa."[70] *En Los heraldos negros* aquella admiración por Darío se hace verso y homenaje en el poema "Retablo", escrito a fines de 1916 y tal vez a raíz de la muerte de Darío. En este mismo poema ya puede verse que no obstante la cercanía de Vallejo hacia Darío, el poeta peruano expresará la protesta de todos los postmodernistas contra la imitación fría y pasiva de las aureas exquisiteces de *Prosas profanas*:

Dios mío, eres piadoso, porque diste esta nave,
donde hacen estos brujos azules sus oficios.
¡Darío de las Américas celestes! ¡Tal ellos se parecen
a ti! Y de tus trenzas fabrican sus cilicios.[71]

Hay, asimismo, en *Los heraldos negros* algo de la selenografía del *Lunario sentimental* de Lugones, especialmente en su poema "Deshojación sagrada", pero, como en el caso de López Velarde, la de Rerrera y Reissig ha sido señalada como la más vigorosa de las influencias modernistas en *Los heraldos negros*.[72] Pero lo modernista servirá a Vallejo sólo de andamio para construir una poesía que es ya completamente diferente de aquella consagrada en el modernismo. Predomina el tono personal sobre el impersonal-preciosista; en esta poesía donde la sinceridad raya en confesión, no hay lugar para exotismos a la manera modernista; desde este plano advertimos una continuidad con el tono de intimidad consagrado por Enrique González Martínez. Desde un plano diferente descubriremos una clara filiación con el criollismo-nativista iniciado por López Velarde. Recordemos que los temas de provincia, de familia y de vida humilde habían sido ya tratados por su compatriota Abraham Valdelomar, y seguramente Vallejo debió conocer los versos de su compañero y amigo. Pero el nativismo de César Vallejo, que algunos han llamado "peruanismo",[73] más que obedecer a una exterioridad temática o alguna influencia fortuita o buscada, es como en el caso de López Velarde "una condición de espíritu". Lo local está en él: en su piel, en su madre, en su hogar de Santiago de Chuco; subirá en su verso absorbiendo de la tierra sus entrañas, esa "mineralidad" americana sugerida por Andrés Iduarte.[74]

Lo nuevo en *Los heraldos negros* es el desarrollo del tema hogareño o provincial hacia una solidaridad con el dolor humano. Adviértase, en este punto, cuán distante está aquel modernismo preocupado en japonerías del verso de Vallejo cebado en el dolor de la pobreza, evocando "un niño que a media noche, llora de hambre, desvelado" y que sueña con "una mañana eterna, desayunados todos".[75] Pero no es ésta una solidaridad en abstracto con todos los hombres; es más bien la voz de la raza que se hace boca en el verso de Vallejo. "Vallejo interpreta la raza en un instante en que todas sus nostalgias punzadas por un dolor de tres siglos, se exacerban".[76] El lenguaje localista, jaspeado de arcaísmos, que Gabriela Mistral nos confiesa haber tomado del "habla campesina de su tierra",[77] en Vallejo es suyo.

Esta solidaridad social de Vallejo hacia su raza, hacia los pobres de su raza, deviene luego en rebelión y más tarde en activismo político. Desde este punto de vista, Vallejo personifica el camino recorrido por la poesía social en América hispana: en los comienzos se preocupa por los problemas sociales y luego se torna arte social al servicio de ideas revolucionarias y movimientos políticos. La diferencia con el arte de compromiso, que es ya una forma de propaganda, estriba en que Vallejo la sensibilidad se hace tema y no a la inversa; la poesía de *Heraldos* está exenta de raciocinios o de ideologías; su humanismo hacia los pobres, hacia su raza, es una sacudida que el poeta lleva en sí mismo, como su "cholismo" y su pobreza.

En 1922 obtuvo Vallejo el Premio del cuento nacional de la sociedad "Entre nous" por su cuento "Más allá de la vida y la muerte"; con el importe publicó su segundo libro de poesías *Trilce*. Con *Trilce* estamos ya en la órbita del vanguardismo; desaparece lo episódico o se reduce a un verso que es el arranque del cual se escapan las imágenes y las metáforas sin enlace, a manera de palomas sin el mensaje adjunto en las patitas; desaparece el ritmo, la rima y la sintaxis convencional, lo cual aumenta las dificultades en la comprensión del poema; desaparece, en fin, la técnica postmodernista del verso para ceder su lugar a una estética nueva, desconocida en el Perú y de la que Vallejo se hace precursor. No es el "simplismo-futurista" que su compatriota Alberto Hidalgo ha proclamado desde Buenos Aires influído por los ultraístas argentinos; tampoco es "creacionismo" hecho escuela por el chileno Vicente Huidobro. Tiene de las escuelas de vanguardia el anhelo de alcanzar la poesía pura, libre de ornamentos y verbalismos, libre de la escoria sintáctica y de explicaciones lógicas; por eso, como en ellos, algunos de sus poemas se malogran. Pero lo que salva a *Trilce* de caer en la mofa, los disparates, la chacota y finalmente el caos, que arrastró a no pocos ultraístas, es la inevitabilidad de un mensaje que busca ser dicho, es la hondura de un dolor ancestral, es una emoción humana que al tener comunidad con todos los hombres se transforma en la llave de sus hermetismos. Es difícil imaginar que Vallejo aprendió esta nueva técnica de los nuevos movimientos de Vanguardia que todavía se estaban gestando; es más razonable aceptar que conocía a los simbolistas franceses y sobre todo a Mallarmé, maestro de las vanguardias europeas y americanas.[78]

Pero, ¿qué mueve a Vallejo a adoptar esta nueva forma, rechazada y condenada en el ambiente peruano?[79] El poeta nos lo dice:

> Hoy, y más que nunca quizás, siento gravitar sobre mí una hasta ahora desconocida obligación sacratísima de hombre y de artista: la de ser libre. Si no he de ser hoy libre, no lo seré jamás. Siento que gana el arco de mi frente su más imperativa fuerza de heroicidad. Me doy en la forma más libre que puedo, y esta es mi mayor cocecha artística. ¡Dios sabe hasta donde es cierta y verdadera mi libertad! Dios sabe cuanto he sufrido para que el ritmo no traspasara esa libertad y cayera en el libertinaje.[80]

Liberarse de todos los yugos literarios para que el alma, como pájaro, pueda hacer su vuelo y decir su canto, un canto que rezuma orfandad y dolor, que es dolor en sí mismo. Por eso dirá Juan Larrea comentando el poema XVIII de *Trilce*:

> . . . Nadie, ni de cerca ni de lejos, fue capaz de escribir un poema tan mentalmente descarnado, tan ánima pura como éste de Vallejo . . .[81]

Después de *Trilce* viene un silencio en la poesía de Vallejo, que se prolongará alrededor de quince años (1922-1937). En el interín el poeta ahondará sus propios conflictos y sus búsquedas. Ahora está en París, "viviendo la vida bohemia del sudamericano, viendo a París en las salas del Louvre y ambulando por cafés y hoteles . . ."[82]

Vallejo había escrito: "no publicar nada mientras ello no obedezca a una entrañable necesidad mía, tan entrañable como extra literaria".[83] España desatará esa necesidad en las entrañas del poeta; sólo una fuerza de tal magnitud conmoverá al Vallejo poeta: España desangrándose por su destino. Porque luego de leer los versos de *España, aparta de mi este cáliz* no nos extrañará que repita "Me voy a España" antes de morirse en la clínica de Villa Arago. Esta comunión de destino del poeta con la República española es la que hace que su poesía sea a la vez "poesía social, revolucionaria, y poesía a secas", como lo ha señalado Luis Monguió.[84] No es difícil comprender que en un poeta de la estatura de César Vallejo, que habría de escribir: "En suma, no poseo para expresar mi vida sino mi muerte,"[85] sea algo más que una ideología política lo que genera su poesía social; la guerra española es sólo la circunstancia, las agujas para sostener y tejer las hebras que son suyas, hiladas de su propio dolor, hechas de una solidaridad palpitante ya en sus primeros poemas.

La guerra civil española, como en el caso de Vallejo, será acicate en muchos poetas hispanoamericanos para lanzarse a la poesía social en su modo político. Neruda debe incluirse en este grupo. Vemos, pues, como la poesía de César Vallejo abarca las más importante tradiciones literarias que crecieron en la poesía hispanoamericana después del modernismo: en su primer libro predomina el tono personal postmodernista, aparecen los temas nativistas y el acento criollista; en *Trilce* aparece el poema de corte vanguardista, la rebelión expresiva que coincide con los movimientos de vanguardia que, con o sin retraso, brotan en casi todos los países de América hispana; y, finalmente, la poesía social de filiación política en *España, aparta de mi este cáliz* y presente también en sus poemas póstumos: *Poemas humanos* (1937-1938). Puede entenderse, pues, que Luis Monguió, cuyo libro estudia las diferentes tradiciones literarias del postmodernismo en el Perú, haya tratado a Vallejo, simultáneamente, en los capítulos: "Abandono del modernismo," "El van-

35

guardismo" y "La poesía social". Este rasgo, sin ser exclusivo en la poesía de Vallejo, refleja con claridad los diversos cambios que se operan en la poesía hispanoamericana en las décadas que siguen al modernismo; explica, asimismo, porque muchos poetas en América hispana han evolucionado de una tradición a otra en un espacio de tiempo relativamente corto. Otro de los más representativos y que mejor reflejan esta metamorfosis poética continental es Pablo Neruda.

6. Poesía de vanguardia:

Veamos, finalmente, como ha crecido la tradición vanguardista. No es una línea única que puede seguirse de cabo a rabo. La palabra "vanguardia" ha reunido un grupo de direcciones en la poesía hispanoamericana que siguiendo la reacción contra las modas literarias de preguerra en Europa, buscaban, en América, salir del modernismo; pero estas direcciones no siempre son convergentes, a pesar de la tónica común que las anima. Este nuevo momento de la poesía se llamará "ultraísmo" en la Argentina, "creacionismo" en el chileno Vicente Huidobro, "postumismo" en Santo Domingo, en Cuba se le llamará "literatura de avance" y en México "estridentismo"; o bien adoptará nombres prestados de la literatura europea: "Futurismo", "dadaísmo" o "superrealismo".

Debemos distinguir, asimismo, dos actitudes diferentes frente a esta poesía nueva: poetas que al margen de escuelas o rótulos producen una poesía que naturalmente se entronca en el vanguardismo, tales, por ejemplo, el colombiano León de Greiff (1895-), César Vallejo en el Perú y Pablo Neruda en Chile; y aquellos que deliberadamente quieren fundar una escuela, escriben manifiestos y se agrupan en revistas. Todos, sin embargo, tienen confluencia con la nueva estética cuyos comienzos, cuyos pioneros, con ser tan diferentes de las nuevas "fieras", están ya en lo que podría llamarse la izquierda del modernismo: anticipo de los nuevos vientos que, ahora, derriban hasta la demolición la vieja arquitectura modernista.

En julio de 1916 llegó a Buenos Aires el joven Vicente Huidobro y pronunció una conferencia en el Ateneo Hispano; en dicha ocasión repitió el chileno algunos de los conceptos que ya habían aparecido en el prefacio de su poema "Adán" sobre el verso libre:

Todos los metros oficiales me dan la idea de cosa falsa, literaria, retórica pura. No les encuentro espontaneidad; me dan sabor a ropa hecha, a máquina bien aceitada, a convencionalismo.
Realmente, no me figuro un gran poema en heptasílabos o en octavas reales.[86]

Asimismo, según algunos de sus críticos, expuso en esta oportunidad algunas de las ideas cardinales del "creacionismo", y repitió tantas veces la palabra creación, destacando el carácter creador de la nueva poesía que vislumbraba, que el epíteto "creacionista" fue la reacción natural del auditorio para definir al innovador.

Huidobro conocía las *Meditaciones estéticas* de Apollinaire y seguramente esta obra lo había orientado por el nuevo camino. Ese mismo año viajó a París. Allí se incorporó al grupo de la revista *Nord-Sud* en la cual colaboraban Pierre Reverdy, Tristán Tzara, Paul Dermée y Max Jacob, capitaneados por Guillaume Apollinaire. En Francia publica nuevos libros, algunos de ellos en francés, y consolida su visión de una poesía nueva en el creacionismo, cuya paternidad se disputó con el francés Pierre Reverdy.[87]

Visitará Madrid en 1918 y más tarde, en 1921 agitando cascabeles creacionistas, y los nuevos sonidos cautivarán a unos y escandalizarán a otros. La influencia de Huidobro en Madrid ha sido parangonada por Rafael Cansinos Assens con aquella ejercida por Darío algunos años antes en España[88] y Guillermo de Torre ha escrito que la casa de Huidobro en Madrid, centro de tertulias y bazar de las novedades literarias, fue el lugar donde "se incubó el óvulo ultraísta entre los españoles".[89]

Huidobro, empeñado, como estaba, en crear una escuela, nos ha dejado manifiestos y programas en los cuales explica los fundamentos del creacionismo. Pero la mejor exégesis de su estética está en su poema "Arte poética" del cual entresacamos los siguientes versos:

Inventa mundos nuevos y cuida tu palabra,
el adjetivo, cuando no da vida, mata.

Por qué cantáis la rosa oh, poetas
Hacedla florecer en el poema

El poeta es un pequeño Dios

Fiel a su fórmula "hacer un poema como la naturaleza hace un árbol", se lanza a verdaderos juegos verbales como: "golondrina, golonfina, golontrina, goloncima, golonchina, golonclima, golonrima, golonrisa, golonniña, golongira, golonlira, golonbrisa, golonchilla"[90] y hace de la metáfora su galera de mago de cuya copa se escapan las imágenes más caóticas y audaces; pero entre metáfora y metáfora nos cuenta lo que le pasa:

> Soy todo el hombre
> El hombre herido por quién sabe quién
> Animal metafísico cargado de congojas
> Solitario como una paradoja

o sus rebeldías de poeta antipoeta:

> No acepto vuestras sillas de seguridades cómodas
> Soy el ángel salvaje que cayó una mañana
> En vuestras plantaciones de preceptos
> Poeta
> Anti-poeta

-------------------------[91]

¿En qué difiere el poema creacionista del poema tradicional? Huidobro responde: "El poema creacionista se compone de imágenes creadas, de conceptos creados; no escatima ningún elemento de la poesía tradicional, sólo que, aquí, esos elementos son todos inventados sin ninguna preocupación por lo real o por la verdad anterior al acto de realización . . ."[92] La metáfora, que es un intento por devolver a la realidad,

38

objetiva o subjetiva, la intensidad que la cotidianidad le ha ido gastando hasta reducirla a signos convencionales como son las palabras, en Huidobro, esa metáfora, se hace realidad en sí misma; el poema adquiere la autonomía de cualquier otro ente de la realidad: "un poema es un poema, tal como una naranja es una naranja y no una manzana".[93] Y siendo las palabras, como son, vehículos "para nombrar las cosas del mundo sin sacarlas fuera de su calidad de inventario",[94] el nuevo lenguaje creacionista buscará en la palabra algo diferente de lo que es, pero que, sin embargo, lleva en sí misma: "un genio recóndito, un pasado mágico que sólo el poeta sabe descubrir porque él siempre vuelve a la fuente".[95]

En 1919 visita España, venido de Ginebra, el argentino Jorge Luis Borges. Sin ideas literarias precisas[96] frecuenta la tertulia de Cansinos Assens que a la sazón había promovido el ultraísmo en España. En contacto con la nueva escuela y adiestrado en la disciplina ultraísta, Borges difundió la novedad en Buenos Aires: en la revista *Nosotros* define Borges el ultraísmo:

> Reducción de la lírica a su elemento primordial: la metáfora. Tachadura de las frases medianeras, los nexos y los adjetivos inútiles. Abolición de los trebejos ornamentales, el confesionalismo, las prédicas y la nebulosidad rebuscada. Síntesis de dos o más imágenes en una, que ensancha así su facultad de sugerencia. Los poemas ultraístas constan, pues, de una serie de metáforas, cada una de las cuales tiene sugestividad propia y compendia alguna visión inédita de algún fragmento de la vida.[97]

La efervescencia ultraísta, tanto en España como en la Argentina, dura menos de un lustro. La crítica ha estampado el sello de fracaso en su partida de defunción[98] "El ultraísmo español —nos dice Federico de Onis— había surgido como el resto de las escuelas o nombres de escuelas en los días de la postguerra con la pretensión de ser el principio de la literatura verdadera, cuando no era más que una modalidad o un síntoma de la crisis general de la literatura y de la época".[99]

Lo único que quedará será el valor individual de cada poeta. En la Argentina los ultraístas vieron la poesía consagrada como viviendo el idilio de su propio embotamiento y se esforzaron por sacarla del amodorramiento;[100] pero los esfuerzos quedaron en las revistas, que proliferaron inusitadamente sin hacerse libros. El conato ultraísta fue evolucionando en la obra de cada poeta hacia algo más permanente, hasta formar un grupo, de prosapia ultraísta, que algunos engloban bajo la denominación de "imaginismo" por el énfasis que Borges y sus compañeros pusieron en el culto a la imagen.[101]

Diferentes de los ultraístas españoles cuyos temas estaban más cerca del futurismo de Marinetti y de la confusión —hija de la postguerra—, el grupo porteño agrupado en la revista *Martín Fierro* (para no citar sino la más importante) se orientó hacia el criollismo postmodernista. Borges, adalid del grupo, nos dice en su libro *Inquisiciones*:

> Europa nos ha dado sus clásicos, que asimismo son de nosotros. Grandioso y manirroto es el don; no sé si podemos pedirle más. Creo que nuestros poetas no deben acallar la esencia de anhelar de su alma y la dolorida y gustosísima tierra criolla donde discurren sus días. Creo que deberían nuestros versos tener sabor de patria, como guitarra que sabe a soledades y a campo y a poniente detrás de un trebolar . . ."[102]

En esta nueva dirección temática se interesaron por Evaristo Carriego (Borges le consagrará un libro), leen con entusiasmo la nueva poesía de Fernán Silva Valdés (Borges lo llamará "el primer poeta joven de la conjunta hispanidad"), retornan a la órbita gauchesca y hacen rueda con Santos Vega, Anastasio el Pollo, y Martín Fierro; (a este grupo pertenece también el autor de *Don Segundo Sombra,* Ricardo Guiraldes).[103]

La poesía de Borges está poblada de arrabales porteños, retazos de Pampa, patios, calles, calesitas, esquinas, baldíos, almacenes, cementerios y paseos de la ciudad de Buenos Aires. Borges ha sido, tal vez, el más fiel al tema criollo y a su ciudad; en uno de sus poemas nos dice:

Calle grande y sufrida,
sos el único verso de que sabe mi vida.[104]

Pero lo que solidariza más a Borges con su grupo es la
búsqueda de una estética nueva; este es el común denomi-
nador del "imaginismo" o literatura de vanguardia. Al principio vieron al ultraísmo como el posible camino, pero luego
el propio Borges reprochará al precursor español: "Yo sé que
en la rebusca de metáforas que a Cansinos suele atarear, hay
sospechas de juego".[105] Es cierto, les preocupa la metáfora,
"esa acequia sonora que nuestros caminos no olvidarán y cuyas
aguas han dejado en nuestra escritura su indicio",[106] pero
buscan no quedarse en el juego. Hablando de los espejos y
las metáforas de Huidobro nos dice Borges: "Hemos de re-
basar tales juegos".[107] Pasado, pues, el escándalo de la metáfora por sí misma, sienten los martinfierristas que tienen algo
o mucho que decir y que el verso puede ser algo más que una
audaz imagen:

Yo solicito de mi verso que no me contradiga, y es
/mucho.
Que no sea persistencia de hermosura, pero sí de
/certeza espiritual.[108]

Les preocupa la forma no como malabarismo verbal o barro-
quismo sino como vehículo del refusilo que recorre una idea
cuando esta hace eclosión a la vida; por eso están más cerca
de Quevedo que de Góngora. Les atrae Herrera y Reissig:
"su lírica es la subidora vereda que va del gongorismo al con-
ceptismo: es la escritura que comienza en el encanto singular
de las voces para recabar finalmente una clarísima dicción".[109]
Eduardo González Lanunza (1900-) nos dirá: "mis poemas
son trabajados" y de su primer libro ha dicho Borges que es
la mejor realización del ultraísmo; en un artículo dedicado a
Lanuza, Borges ha hecho el escrutinio del ultraísmo, inclu-
yéndose él mismo; por lo ilustrativo lo reproducimos en el
párrafo que nos interesa:

González Lanuza ha hecho el libro ejemplar del

ultraísmo y ha diseñado un meandro de nuestro unánime sentir. Su libro, pobre de intento personal, es arquetipo de una generación. Son inmerecedores de ese nombre los demás himnarios recientes. Estorba en *Hélices* de Guillermo de Torre la travesura de su léxico huraño, en *Andamios interiores* de Maples Arce la burlería, en *Barco Ebrio* de Reyes la prepotencia del motivo del mar, en la compleja limpidez de *Imagen* de Diego la devoción exacerbada a Huidobro, en *Kindergarten* de Bernardez la brevedad pueril de la emoción, en la bravía y noble *Agua del tiempo* la primacía de sujetos gauchescos y en mi *Fervor de Buenos Aires* la duradera inquietud metafísica. González ha logrado el libro nuestro, el de nuestra hazaña en el tiempo y el de nuestra derrota en lo absoluto. Derrota, pues las más de las veces no hay una intuición entrañable vivificando sus metáforas; hazaña, pues el reemplazo de las palabras lujosas del rubenismo por las de la distancia y el anhelo es, hoy por hoy, una hermosura.[110]

Este mismo González Lanuza, paradigma del ultraísmo, restaurará lo que los ultraístas habían condenado: la rima, el metro, la estrofa.

Puede verse que el ultraísmo, efímero y vencido, trajo sin embargo un efluvio renovador a la poesía argentina, un envión que la revitaliza permitiéndole alcanzar nuevas e importantes realizaciones. La poesía de vanguardia fue el catalizador para el advenimiento de una poesía más humana y de valores duraderos. En la Argentina, después del ultraísmo, los poetas forman "familias"[111] según sus afinidades: "la familia de los que siguen sus impulsos cordiales", la familia "de los preocupados por lo social", la familia "de los conocedores de la tradición popular o clásica", la familia "de los regionalistas".

En México, tras las detonaciones del estridentismo futurista aparece una poesía más humana y el grupo de los *Contemporáneos* hace de la muerte y la soledad una poesía de exquisita hondura lírica. Por eso lo que Dámaso Alonso ha dicho respecto al ultraísmo español nos parece aplicable a la poesía de vanguardia hispanoamericana y a su papel en la generación postvanguardista:

Trajo aquel grupo (ultraísta), más que su chillón y efímero entusiasmo, los experimentos realizados con la imagen (imagen múltiple, etc.); la actividad para ligar poéticamente elementos muy distantes entre sí, de la realidad; en fin, el ennoblecimiento del humor, mejor dicho, cierta alegría deportiva y despreocupada, y que, a mi manera de ver, fueron a dar por caminos subterráneos o por muy sutiles capilares, a la generación de antes de la guerra. El ultraísmo, movimiento fracasado, alimenta, aunque sea en pequeña parte, una de las más intensas generaciones poéticas de nuestra historia.[112]

Y en ensamble con este juicio nos dice Gerardo Diego sobre la misma generación:

Directamente o a través de Larrea o de algún otro discípulo directo, algo de lo mejor de Fernando Villalón, de Rafael Alberti, de Pablo Neruda, de Leopoldo Marechal, de Federico García Lorca, de otros poetas de lengua española y de otras lenguas procede de fuente huidobriana.[113]

En esta nueva generación, para quienes el ultraísmo es ya un ayer, una tradición sin tradición, la "poesía pura" de Henri Bremond y el superrealismo de André Breton serán los dos polos entre los cuales oscilan los poetas jóvenes; hay quienes alcanzan los extremos y hay quienes manteniendo su equidistancia encuentran nuevos matices y posibilidades. Lorca en España y Neruda en América serán los de mayor influencia. ¿Es una casualidad que el granadino haya saludado al chileno y a su poesía como "un tono nunca igualado en América de pasión, de ternura y sinceridad?"[114]

Los poetas postvanguardistas abandonan la poesía como juego y adoptan una actitud romántica o neorromántica, esto es: con el verso ventilan un estado de alma. Romántica por la actitud pero no por la forma, que ahora se hace superrealista, existencialista o simbolista.[115] El sentimiento es la realidad poética, pero no se buscará vaciarlo en las esclusas del razonamiento lógico, sino se lo dejará deslizarse por los rieles de la imaginación virgen o por los cauces del sueño; "se pretende libertar a la poesía no solo de la anécdota, sino del acertijo de la imagen y de los planos de la realidad".[116] Neruda, cuya poesía se hace forma en un expresionismo de veta superrealista ha explicado con claridad esta actitud romántica cuando nos dice en el prólogo a la primera edición de *El habitante y su esperanza*:

Yo tengo un concepto dramático de la vida, y romántico; no me corresponde lo que no llega profundamente a mi sensibilidad.[117]

Estamos, pues, frente a una nueva tradición, llámesele postvanguardista si se desea, de la cual Pablo Neruda es uno de sus mejores maestros en América hispana.

NOTAS

1.—Arturo Torres Rioseco, *New World Literature; tradition and revolt in Latin America* (Berkeley, Univ. of California, 1949), p. 171.

2.—*Ibídem.*

3.—Pedro Henríquez Ureña, *Las corrientes literarias en Hispanoamérica* (México, Fondo de Cultura, 1949), p. 165.

4.—Max Henríquez Ureña, *Breve historia del modernismo* (México, Fondo de Cultura, etc., 1962), p. 11.

5.—José Enrique Rodó, *Obras completas* (Madrid, Aguilar, 1957), p. 165. Con juicio ajustado nos dice: "Habíamos tenido en América poetas buenos, y poetas inspirados, y poetas vigorosos; pero, no habíamos tenido en América un gran poeta exquisito". (R. Darío: su personalidad literaria, su última obra".)

6.—Rubén Darío, *Poesías completas*, Palabras preliminares a *Prosas profanas* (Madrid, Aguilar, 1954), pp. 612-613.

7.—*Ibídem, Cantos de vida y esperanza*, "De Otoño", p. 765.

8.—He aquí algunos poemas de temas americanos escritos antes de *Cantos*: "Tutecotzimi" (1892, "Momotombo" (1896), "A Colón" (1892), "Caupolicán" (1890), "Salvador Díaz Mirón" (1890), "José Joaquín Palma" (1890), "Canto épico a las glorias de Chile" (1888), "Lastarria" (1888), "Al pasar" (1893), "Elogio de Fray Mamerto Esquiú" (1896), "Desde la Pampa" (1898).

9.—Rubén Darío, *Poesía* con un estudio preliminar de Enrique Anderson Imbert (México, Fondo de Cultura, 1952), p. 23.

10.—Max Henríquez Ureña, ob. cit., p. 114.

11.—Pedro Salinas, *La poesía de Rubén Darío* (Buenos Aires, Losada, 1948). En el capítulo X trata la poesía social de Darío y distingue diferentes modos o planos de la poesía social: "La poesía social es la originada por una experiencia que afecta al poeta no en aquello que su ser tiene de propio y singular, de inalienable vida individual, sino en ese modo de su existencia por el cual se siente perteneciendo a una comunidad organizada, a una sociedad, donde sus actos se aparecen siempre como relativos a los demás.

La pertenencia a un grupo humano se puede sentir en var'as maneras. En una de ellas, el individuo se proyecta hacia el pasado de una colectividad humana de gentes desaparecidas, de muertos, que él continúa y representa en su voz. Es el "modo histórico". En otro, el poeta se vive como miembro de una comunidad cuyas características las fija el hecho de habitar secularmente un mismo lugar de la tierra, en convivencia de usos, lengua, etc. Es el "modo nacional", que puede reducirse hasta el regionalismo, o ensancharse hasta el continental.

También puede definirse la sección de sociedad en la que se ve inserto el poeta por la participación de los que la integran en un credo social o político. Es el "modo político". Dicho sea de paso, la costumbre de reservar para este tipo de poesía tan solo el nombre de poesía social, se me antoja abusiva e impropia. Las obras nacidas de cualquiera de los modos de sentir la sociedad, son todas propiamente sociales. Y a las de este apartado les corresponde en propiedad, el nombre de poesía política, con su secuela de poesía de propaganda.

Y cabe, por último, el caso de que el sentimiento de comunidad sea vivido por el poeta, sin limitación alguna; no por referencia a tal o cual sector de la sociedad o de los hombres, sino a toda ella, a los hombres del universo. Es el "modo humanitario". pp. 215-216.

12.—Andrés Holguín, "Guillermo Valencia y el parnasianismo", *NIVEL: gaceta de cultura*, Segunda época, No. 2 (1963), pp. 6-8.
13.—Luis Alberto Sánchez, *Escritores representativos de América*, vol. II (Madrid, Gredos, 1957), p. 222.
14.—*Ibídem*, p. 226.
15.—Pedro Henríquez Ureña, *ob. cit.*, p. 189.
16.—*Ibídem*, pp. 196-197.
17.—Sobre esta conversión de Darío dice Torres-Rioseco: "Cuando aparece en 1905 *Cantos de vida y esperanza*, Darío se ha transformado en poeta social, en el alto sentido de esta palabra, y ya no se puede decir que el no sea el poeta de América". *Rubén Darío, antología poética*: selección, estudio preliminar, cronología, notas y glosario de Arturo Torres Rioseco (Berkeley, Univ. of California Press, 1949), p. 24.
18.—Rubén Darío, Prefacio a "Cantos", *Poesías completas*, Aguilar, p. 765.
19.—Pablo Neruda, *Obras completas* (Buenos Aires, Losada, 1962), p. 244.
20.—Rubén Darío, *ob. cit.*, p. 765.
21.—Pablo Neruda, *ob. cit.*, pp. 254-255.
22.—Angel Valbuena Briones en su *Historia de la literatura hispanoamericana* señala: "Yo soy aquel que ayer no más decía . . ." de *"Cantos"*, que declara un cambio de poética, admite parangón con el mencionado "Nuevo canto de amor a Stalingrado" de la *Tercera residencia* que anuncia el nuevo credo social de Neruda". (Barcelona, Gustavo Gil, 1962), p. 446. Carlos Hamilton en su artículo *Itinerario de Pablo Neruda* en R.H.M., XXII, No. 3-4, p. 293 observa la similitud entre los dos poemas; (y Amado Alonso, en la edición aumentada de su libro *Poesía y estilo de Pablo Neruda* hace mención del uso de la fórmula conocida de Rubén Darío en "Nuevo canto de amor a Stalingrado". Segunda edición, 1951, p. 315).
23.—Rubén Darío, *ob. cit.*, p. 765.
24.—Pablo Neruda, *ob. cit.*, p. 277.
25.—E. A. Imbert refiriéndose a los años 1910-1925 escribe: "son los años en que se ha escrito más en nuestra América", *Historia de la lit. hispanoamericana* (México, Fondo de Cultura, 1962), vol. II, p. 9, lo cual puede hacerse extensivo al período que tratamos.
26.—Claude Vigée, *Revolte et louanges: essais sur la poesie moderne* (Paris, Libraire Jose Corti, 1962), p. 11.
27.—*Ibídem*.
28.—Gicovate, Bernard, *Julio Herrera y Reissig and the symbolists* (Berkeley, Univ. of California Press, 1957), p. 28.
29.—*Ibídem*.
30.—Michael Carrouges, *Eluard et Claudel* (Paris, Editions du Seuil, 1945, p. 32.
31.—Julio Herrera y Reissig, *Antología lírica;* sus mejores poemas y sonetos compilados por C. Sabat Ercasty y Manuel de Castro, precedidos de noticias críticas y biográficas. (Sgo. de Chile, Ercilla, 1939).
32.—*Ibídem, pp.* 106-107.
33.—Bernard Gicovate, *ob. cit.*, p. 50.
34.—J. Herrera y Reissig, Revista Nacional, No. 63, 1943, 431 (Cit. por Valbuena Briones en su obra anteriormente ya citada, p. 251).
35.—Julio Herrera y Reissig, *Antología lírica*, ob. cit., p. 44.
36.—Así está expuesto por Marcel Raymond: "Mais avec Baudelaire, "le premier des voyants", selon Rimbaud, l'imagination commence à prendre conscience de sa fonction démiurgique. Entée sur

un sens mystique de la "correspondence universelle", elle pressent qu'une tâche immense la sollicite qui consistirait à révéler par le moyen d'images "bizarres" la parenté essentielle de toutes choses, leur participation à un esprit ou baignent les objects et les âmes, à la "ténébreuse et profonde unité" du tout. Cette métaphysique, le plupart des successeurs de Baudelaire ne seraient pas disposés à l'accepter, mais si l'on s'en tient a une considération de l'image, depuis trois quarts de siècle, il faut avouer que les catachrèses surréalistes représentent le point d'aboutissement d'une évolution parfaitment nette dont on distinguerait sans peine les diverses etapes". *De Baudelaire au Surréalisme* (Paris, Librairie Jose Corti, 1952), p. 285.

37.—Guillermo de Torre, *"Exaltación de sus providencias" en Antología lírica* de J. H. y Reissig anteriormente citada, p. 32.

38.—Jorge Luis Borges, *Inquisiciones* (Buenos Aires, Proa, 1925), p. 142.

39.—*Antología lírica* de J. H. y Reissig cit., p. 141.

40.—*Ibídem*, p. 19.

41.—Pedro Henríquez Ureña, *ob. cit., p.* 189.

42.—Ramón López Velarde, *El don de Febrero y otras prosas:* "la realización de la belleza exige la fuerza lírica de una emoción positiva", cit. por Allen W. Phillips en *R. L. Velarde; el poeta y el prosista* (México, INBA, 1962, p. 112.

43.—*Ibídem*, p. 119. Aquí nos deja un verdadero alegato de la emoción; "Que todos creamos en la eficacia de la emoción. Que la emoción nos salve. La sinceridad absoluta y simple de emociones y placeres . . . he aquí el secreto". En Phillips p. 110.

44.—*Ibídem*, p. 87. Cit. por Phillips p. 115.

45.—*Ibídem*.

46.—*Ibídem*, p. 260. Cit. por Philips, p. 116.

47.—Allen W. Phillips, *Ramón L. Velarde, el poeta y el prosista* (México, INBA, 1962), p. 118.

48.—R. L. Velarde, *El don de Febrero y otras prosas*, p. 355. Cit. por Phillips, p. 117.

49.—E. Anderson Imbert, *Historia de la literatura hispanoamericana* (México, Fondo de Cultura, 1962), vol. II, p. 18.

50.—R. L. Velarde, *ob. cit.*, p. 235. Cit. por Phillips, p. 120.

51.—Allen W. Phillips, *ob. cit.*, p. 98.

52.—*Ibídem*, p. 84.

53.—*Ibídem*, p. 95.

54.—Julio Herrera y Reissig, *ob. cit.*, p. 48.

55.—R. López Velarde, *Poesías completas y el minutero;* edición y prólogo de Antonio Castro Leal (México, Porrúa, 1957), pp. 206-207.

56.—Guillermo de Torre, "Notes on French influences in the work of Julio Herrera y Reissig" de Elizabeth Colquhoum, *Bulletin of Hispanic Studies*, vol. XXI, 1944, pp. 145-58. Cit. por Valbuena Briones en *Historia de la Lit. hispano-americana*, p. 268.

57.—R. López Velarde, *El don de Febrero y otras prosas*, pp. 268-269. Cit. por Phillips, p. 99.

58.—Allen W. Phillips, *ob. cit.*, p. 88.

59.—Aunque sobre este punto la crítica no ha llegado a un absoluto acuerdo, oponiendo al nombre de López Velarde el de González León como el precursor del tema, nos parece acertada la conclusión a que, sobre este tópico, arriva A. W. Phillips en su estudio sobre R. L. Velarde cuando dice: "Si la gloria histórica de ser el verdadero iniciador de los temas provincianos en la poesía mexicana moderna parece corresponder a Francisco González León, cuya obra no llegó a circular en manos del público lector sino hasta unos años más tarde, López Velarde representa, sin embargo, el innegable punto de partida de toda una literatura de provincia en México". p. 180.

60.—Pedro Henríquez Ureña, *ob. cit.*, p. 189.
61.—Luis Alberto Sánchez, *ob. cit.*, p. 233.
62.—Federico de Onís, *Antología de la poesía española e hispano-americana* (New York, Las Américas, 1961), p. 932.
63.—Gabriela Mistral, *Desolación* (Buenos Aires, Espasa-Calpe, 1960, p. 207.
64.—*Ibídem*, p. 105.
65.—*Ibídem*, p. 107.
66.—E. Anderson Imbert, *ob. cit.*, vol. II, pp. 33-34.
67.—Amado Alonso, *Poesía y estilo de P. Neruda;* interpretación de una poesía hermética (Buenos Aires, Ed. Sudamericana, 1951), p. 161.
68.—Esta afinidad puede corroborarse con facilidad en sus poemas "Nochebuena", "Nervazón de angustia", "Comunión" y otros de *Los heraldos negros.*
69.—Xavier Abril, *Vallejo: ensayo de aproximación crítica* (Buenos Aires, Front, 1958), p. 132.
70.—César Vallejo, *Trilce* (Lima, Perú nuevo, 1961), p. 98.
71.—César Vallejo, *Los heraldos negros* (Lima, Perú nuevo, 1961), p. 99.
72.—Tal por ejemplo Luis Monguió, luego de anotar algunas influencias en la poesía de Vallejo, concluye: "Por fin, mayor que la del mismo Darío y la de Lugones es sobre el Vallejo de los años quince al dieciocho la influencia de Julio Herrera y Reissig. Parra del Riego, el primer comentador en letra de molde de la poesía de Vallejo joven, dijo ya, al referirse a él en 1916 que "casi por todos sus versos se nota el paso de aquel poeta que tenía vestida de ave del paraíso la emoción, de J. Herrera y Reissig". A la luz de posteriores estudios la apreciación de la influencia del uruguayo sobre el primer Vallejo ha sido ampliada y precisada". en *La poesía post-modernista peruana* (México, Univ. of California and Fondo de Cultura, 1954), pp. 51-52.
73.—Luis Monguió, *ob. cit.*, p. 52.
74.—Andrés Iduarte, *Pláticas hispanoamericanas* (México, Tezontle, 1951) su artículo "Cesar Vallejo ha caído", p. 117.
75.—César Vallejo, *Los heraldos negros* en su poema "La cena miserable", p. 94.
76.—José Carlos Mariátegui, prólogo a *Los heraldos negros.*
77.—Carlos D. Hamilton, *Historia de la literatura hispanoamericana* (New York, Las Américas, 1961), vol. II, p. 60.
78.—Xavier Abril, *Dos estudios:* I.-Vallejo y Mallarmé; II.-Vigencia de Vallejo (Bahía Blanca (R.A.), Universidad Nacional del Sur, Cuadernos, 1960). En este trabajo Abril trata de demostrar que *Trilce* está directamente influído por el famoso poema de Stephane Mallarmé "Un Coup de Dés", cuya primera traducción española se publicó en 1919 bajo el nombre de "Una jugada de dados jamás abolirá el acaso".
79.—En 1924. dos años después de la publicación de *Trilce,* José C. Mariategui declaraba: "No nos faltan poetas nuevos. Lo que nos falta, más bien, es nueva poesía ... El futurismo, el dadaísmo, el cubismo, son en las grandes urbes un fenómeno espontáneo, un producto genuino de la vida. El estilo nuevo de la poesía es cosmopolita y urbano. Es espuma de una civilización ultrasensible y quinta-escenciada. No es asequible por ende a un ambiente provinciano. Es una moda que no encuentra aquí los elementos necesarios para

alimentarse. Es el perfume, es el efluvio lírico del espíritu humorista, escéptico, relativista, de la decadencia burguesa. Esta poesía sin solemnidad y sin dramaticidad, que aspira a ser un juego, un deporte, una pirueta, no florecerá entre nosotros". en "Motivos polémicos. Poetas nuevos y poesía vieja", *Mundial*, No. 232, Oct. 1924. Cit. por L Monguió, *ob. cit.*, p. 69.

80.—César Vallejo, carta a Antenor Orrego, cit. por Monguió, pp. 77-78.

81.—Juan Larrea, *César Vallejo o Hispanoamérica en la cruz de su razón*, (Córdoba (R.A.), Univ. Nac. de Córdoba, 1957), p. 35.

82.—Raúl Porras Berrenechea, nota a la edición príncipe de *Poemas humanos*, cit. por X. Abril en *Vallejo, ensayo . . . "*, p. 240.

83.—Carta de César Vallejo citada por L. A. Sánchez en "Nuevos versos de C. Vallejo", *Mundial*, Lima, No. 388, Nov. 1927. Cit. por Monguió en *El postmodernismo . . .* , p. 141.

84.—Luis Monguió, *ob. cit.*, p. 144.

85.—C. Vallejo, *Poemas humanos* (Lima, Perú nuevo, 1961), p. 151.

86.—Antonio de Undurraga, *Teoría del Creacionismo*, en la "Antología de V. Huidobro" (Madrid, Aguilar, 1957), p. 23.

87.—Los detalles de esta disputa pueden encontrarse en el citado ensayo de A. de Undurraga, p. 43 y subsiguientes.

88.—A. De Undurraga, *ob. cit.*, p. 62.

89.—*Ibídem*, p. 65.

90.—Vicente Huidobro, *Antología; poesía prosa* (Madrid, Aguilar, 1957) "Altazor", pp. 294-295.

91.—*Ibídem*, p. 287.

92.—A. de Undurraga, *ob. cit.*, p. 111.

93.—*Ibídem*, p. 112

94.—*Ibídem*, p. 108.

95.—*Ibídem*.

96.—Néstor Ibarra en su obra *Ensayo crítico sobre el ultraísmo*: 1921-1929 nos cuenta sobre Borges: "Sus proyectados "Salmos rojos" decían de un frecuentador de Almafuerte y un admirador de Whitman, de los poetas anglosajones de ambos Atlánticos y del expresionismo alemán, que una antología en *Cervantes*, un estudio en *Ultra*, debían revelar a España". Cit. por Undurraga en *"Teoría del creacionismo"*, p. 122.

97.—Jorge Luis Borges, publicado en la revista *Nosotros*, No. 51, 1921. Cit. por Undurraga, p. 125.

98.—Tal es el juicio de D. Alonso en su libro *Poetas españoles contemporáneos* y de Federico de Onís en la *Antología de la poesía española e hispanoamericana*.

99.—F. de Onís, *Antología . . .* , pp. 1127-1128.

100.—En la citada obra, *Ensayo crítico sobre el ultraísmo*, Néstor Ibarra define este momento: ¿Qué decir del estado de la poesía argentina entonces (1921)? Nada más calmoso y neutro, nada más cercano a decadencia y muerte. El gran Lugones ya había dado, doce años antes, toda su medida; Enrique Brachs (1911) había dicho casi su última palabra en *La Urna*, que contiene algunos de los más firmes y amplios sonetos de nuestra lengua; innovador en temas y eterno en sensiblería ,Carriego se prolongaba en múltiples glosadores y diluidores; el nombre más famoso era el del abundante y menor ("sencillista") Fernández Moreno. Pero eran todos estos valores aceptados o negligidos, casi nunca indagados o discutidos: la poesía como en general la literatura y el arte, era el más descansado y accesorio aspecto de la vida del país . . . ". Cit. por Undurraga, pp. 126-127.

101.—Tal, por ejemplo, Juan Carlos Ghiano en su libro *Poesía argentina del siglo XX* (Bs. As., Fondo de Cultura, 1957).

102.—Jorge Luis Borges, *Inquisiciones* (Bs. As., Proa, 1925), p. 64.

103.—E. Anderson Imbert ha señalado que el Güiraldes poeta "consiguió anticipos de lo que luego se ha de llamar creacionismo y ultrasímo", *Historia* . . . vol II, p. 102.

104.—Jorge Luis Borges, *Poemas;* 1923-1958 (Bs. As., Emece, 1954), p. 70: "Calle con almacén rosado".

105.—J. L. Borges, *Inquisiciones*, p. 17.

106.—*Ibídem*, p. 27.

107.—*Ibídem*, p. 29.

108.—J. L. Borges, *Poemas* . . . , "Jactancia de quietud", pp. 80-81.

109.—J. L. Borges, *Inquisiciones*, p. 139 en "Herrera y Reissig".

110.—*Ibídem*, "E. González Lanuza", pp. 98-99.

111.—E. Anderson Imbert en su *Historia* . . . sugiere esta división de los poetas independientes postultraístas en lo que él llama "familias".

112.—Dámaso Alonso, *Poetas españoles contemporáneos* (Madrid, Gredos, 1952), p. 176.

113.—Gerardo Diego, "Vicente Huidobro" en la revista *Atenea*, Sgo. de Chile, No. 295-296, enero-febrero, 1950. Cit. por Undurraga en "Teoría del Creacionismo", p. 97.

114.—Federico García Lorca, *Obras completas*, "Presentación de Pablo Neruda" (Madrid, Aguilar, 1960), p. 1721.

115.—Anderson Imbert en su *Historia* . . . aclara este punto y caracterizando el período nos dice: "El romanticismo no cesó nunca: se transformó en simbolismo, en superrealismo, en existencialismo . . .", vol. II, p. 150.

116.—F. G Lorca, *ob. cit.*, p. 1543 en "Imaginación, inspiración, evasión".

117.—Pablo Neruda, *ob. cit.*, p. 111.

II. LA MODALIDAD POSTMODERNISTA

Yo vine
del Sur, de la Frontera.
La vida era lluviosa.
Cuando llegué a Santiago
me costó mucho
cambiar de traje.
Yo venía vestido
de riguroso invierno.
Flores de la intemperie
me cubrían.
Me desangré mudándome
de casa.
Todo estaba repleto,
hasta el aire tenía
olor a gente triste.
En las pensiones
se caía el papel
de las paredes.
Escribí, escribí sólo
para no morirme.

ODA A LA ENVIDIA

Cuando yo escribía versos de amor,
que me brotaban por todas partes,
y me moría de tristeza,

CARTA A MIGUEL OTERO SILVA,
EN CARACAS (1948)

CANTO GENERAL

51

1. *Bosquejo biográfico: De Temuco a Santiago*

Ricardo Eliecer Neftalí Reyes nació en Parral el 12 de julio de 1904. De sus progenitores nos cuenta el poeta:

> Mis tatarabuelos llegaron a los campos de Parral y plantaron viñas. Tuvieron unas tierras escasas y cantidades de hijos. En el transcurso del tiempo esta familia se acrecentó con hijos que nacían dentro y fuera del hogar. Siempre produjeron vinos, un vino intenso y ácido, vino pipeño, sin refinar. Se empobrecieron poco a poco, salieron de la tierra, emigraron, volviendo para morir a las tierras polvorientas del centro de Chile.[1]

Un mes tiene el niño cuando muere su madre, Rosa Basoalto de Reyes; de ella conocerá solo un retrato a través del cual nos la describe: "Era una señora vestida de negro, delgada y pensativa".[2] Su padre José del Carmen Reyes contrae segundas nupcias con doña Trinidad Candia, cuando Ricardo Eliecer tiene dos años, y ese mismo año —1906— toda la familia se traslada a Temuco. De doña Trinidad Candia, que será "el ángel tutelar de la infancia del poeta", nos cuenta Neruda: "Era diligente y dulce, tenía sentido de humor campesino, una bondad activa e infatigable".[3]

En Temuco crecerá el niño y aquí escribirá sus primeros versos. ¿Qué ofrece la frontera "espaciosa y terrible" a este niño que a los diez años se siente ya poeta? Su padre fue "mal agricultor, mediocre obrero del dique de Talcahuano, pero buen ferroviario;"[4] el niño, pues aprenderá qué es un tren lastrero. Acompañará a su padre en estas travesías de vendavales, picará piedras en Boroa, "corazón silvestre de la frontera", para luego lastrar los durmientes y proteger los rieles de las aguas. En la cuadrilla del tren lastrero conocerá a los "gigantescos y musculosos peones" que se miden con las lluvias eternas de Temuco; entre ellos encontrará amigos, que conociendo sus curiosidades, le ofrecerán los tesoros que denodadamente el chico busca en sus exploraciones por la selva vírgen: copihues blancos, arañas peludas, crías de torcazas y una vez el tan idealizado como inimaginable eléctrico juguete: el coleóptero del coigne y de la luna . . .

No sé si ustedes lo han visto alguna vez. Yo solo lo ví en aquella ocasión, porque era un relámpago vestido de arco iris. El rojo y el violeta y el verde y el amarillo deslumbraban en su caparazón y como un relámpago se me escapó de las manos y se volvió a la selva.[5]

Estos primeros años de bosques y ferrocarriles aparecen resumidos en el pórtico de "Yo soy", última sección de *Canto general*:

Mi infancia son zapatos mojados, troncos rotos
caídos en la selva, devorados por lianas
y escarabajos, dulces días sobre la avena,
y la barba dorada de mi padre saliendo
hacia la majestad de los ferrocarriles.[6]

Su casa está hecha de madera "recién salida del bosque" y "no es lo mismo haber nacido en una casa de adobes que en una casa de madera recién salida del bosque".[7] Los bosques dormidos se despiertan con el picotear de los hacheros y el ronroneo de los aserraderos:

Yo llevo por el mundo
en mi cuerpo, en mi ropa,
aroma de aserradero,
olor de tabla roja.
Mi pecho, mis sentidos
se impregnaron
en mi infancia
de árboles que caían,
de grandes bosques llenos
de construcción futura.[8]

54

En su prosa lírica, *Anillos,* nos ha dejado Neruda algunas estampas de la provincia de su infancia, bocetos que en su conjunto trazan una imagen de Temuco:

> Ah pavoroso invierno de las crecidas, cuando la madre y yo temblábamos en el viento frenético. Lluvia caída de todas partes, oh triste prodigadora inagotable. Aullaban, lloraban los trenes perdidos en el bosque. El viento a caballazos, saltaba las ventanas, tumbaba los cercos; desesperado, violento, desertaba hacia el mar.[9]

El recuerdo de las lluvias eternas de Temuco se hace evocación en el *Canto general:*

> Frente a mi casa el agua austral cavaba
> hondas derrotas, ciénagas de arcillas enlutadas,
> que en el verano eran atmósfera amarilla
> por donde las carretas crujían y lloraban
> embarazadas con nueve meses de trigo.[10]

Y luego la soledad del pueblo que llena todos los rincones derramando una acidez dolorosa:

> Hay una avenida de eucaliptus, hay charcas debajo de ellos, llenos de su fuerte fragancia de invierno. El gran dolor, la pesadumbre de las cosas gravita conforme voy andando. La soledad es grande en torno a mí, las luces comienzan a trepar a las ventanas y los trenes lloran lejos, antes de entrar a los campos. Existe una palabra que explica la pesadumbre de esta hora, buscándola camino bajo los eucaliptus taciturnos, y pequeñas estrellas comienzan a asomarse oscureciéndose. He aquí la noche que baja de los cerros de Temuco.[11]

En esta región de soledad crece el poeta "vestido de negro, de riguroso luto, luto por nadie, por la lluvia, por el dolor universal".[12] Lee las aventuras de Búfalo Bill, y se pierde en las historias de Julio Verne, Vargas Vila, Strindberg, Máximo Gorki, Felipe Trigo, Diderot y Víctor Hugo.

Cuando Gabriela Mistral llega a Temuco —"una señora alta con vestidos muy largos, zapatos de taco bajo, vestida de color arena"[13]— orienta al joven "afilado y mudo" hacia la lectura de los grandes nombres de la literatura rusa.

En los bancos de la plaza "El Manzano" el muchacho escribe "ríos de poesía", pero sus compañeros de Liceo no lo saben y no respetan su condición de poeta; también "el poeta" es arrastrado a un gran galpón cerrado donde estalla la guerra de bellotas de encina. La belicosidad de los beligerantes es irrefrenable y los bellotazos llueven sobre la cabeza del poeta, mientras éste trata infructuosamente de fabricar una pipa para el humo de sus pruritos de poeta.

A veces sus tíos lo llevan a la fuerza al gran rito del cordero asado, y mientras la sangre del cordero tajeado en el cuello cae en la palangana, el vino corre y la ensalada de porotos verdes espera en las bateas de lavar. Luego le dan al chico la copa de sangre, y el niño, entre envalentonado y horrorizado, bebe . . .

Pero su poesía lo defiende. Hacia esta época —1917— publica sus primeros versos en el diario *La Mañana* de Temuco y luego continúa publicando en otras revistas locales; obtiene un premio en los Juegos Florales del Maule en 1919 y al año siguiente el Primer premio en la Fiesta Primaveral de Temuco. Ese año —1920— publica sus primeros versos en la revista *Selva Austral*, dirigida por Ernesto Silva Román; es entonces cuando adopta el seudónimo Pablo Neruda, "para huir de las amonestaciones del padre, hombre rudo y enérgico que no permitía al hijo el cultivo de los versos".[14]

En marzo de 1921 viaja a Santiago para estudiar en el Instituto Pedagógico; "el muchacho venía espantado del ambiente montaraz",[15] "casi se escapa un día en un buquecito de vela" —nos cuenta Pedro Prado y agrega:— "se moría en su provincia".[16] Llega pues a Santiago "con unos cuadernos de versos bajo el brazo y envuelto todo él en un aspecto de turbia y acre tristeza;"[17] llega a la Universidad cargado de ilusiones y esperanzas, buscando la vida literaria y amorosa, el cambio de vida, la claridad . . .

. . . llegué a la capital, vagamente impregnado

de niebla y lluvia. ¿Qué calles eran esas?
Los trajes de 1921 pululaban
en un olor atroz de gas, café y ladrillos.

--[18]

Aquí están recogidas las primeras percepciones sensoriales del poeta ante la urbe americana; Santiago tenía fama de ciudad con pretensiones europeas, con todos sus abismos y grandezas. Entremos a la ciudad de Santiago del año veintitantos a través de la meticulosa descripción que de ella ha hecho Tomás Lago:

La ciudad de Santiago, mirada desde afuera, tenía una luz panorámica, un aire ilustre que se lo daban el asfalto trinidad, los coches con aurigas uniformados — de bota inglesa con dobleces de cordobán amarillo— y los pijes de la calle Huérfanos que se paseaban por medio de la calzada, y como aún hace hoy la gente en la calle Florida de Buenos Aires. Pero estaban los cafés a la europea, el Olimpia, con sillas de metal y billares, al estilo del que aparece en la Viuda Alegre. Había salas de esgrima que preparaban para los duelos "a primera sangre", pianofortes que tocaban la Boheme. ¡Qué lejos está todo eso!

Era lo extenso lo que primero llamaba la atención. ¡Pero había tantas cosas! Por las noches pasaban como un terremoto dirigido, un monstruo viable, deshaciéndose en un inacabable cataclismo de ferretería, los tranvías de dos pisos de los barrios que se perdían en la ciudad desconocida.

Dentro de esta primera sensación venían luego las innúmeras callejas, las plazuelas distantes propicias a los sueños de los adolescentes que llegaban de las provincias prolongándose y repitiéndose hasta el infinito. La vida universitaria tenía su esquema palpitante dentro de esta ciudad. Neruda estudiaba en el Instituto Pedagógico y pertenecía al núcleo de sus estudiantes que se distribuían en las pensiones de los alrededores del viejo edificio ubicado en la esquina de Cumming con Alameda. Entre la Estación Central y la Avenida Brasil se desarrollaba toda una vida social, con su leyenda dorada, sus dramas y comedia como habrá siempre donde hay muchachos y muchachas. A diario transitaba por allí el joven Reyes (hoy Pablo Neruda) con su rostro agusado y ojos imperturbables, acompañado de su novia.[19]

¿Cómo vieron al muchacho los santiaguinos? Alone (Hernán Díaz Arrieta) nos ha dejado una caricatura lírica de este tiempo: "Era un muchacho de cara larga, muy larga y delgada, y como además tenía el color pálido, un poco amarillento, evocaba una vela de cera y se necesitaba odiar mucho las asociaciones inevitables para no compararlo a una figura del Greco".[20]

¿Qué más sabemos de su vida personal en Santiago? Muy poco. Lo que el poeta mismo ha escrito sobre su vida en su poesía y alguna que otra instantánea que nos dejaron sus amigos o conocidos. Don Pedro Prado lo encuentra un día en un banco público y le pregunta: —¿Dónde vives ahora Neruda?— y el poeta responde: —"En un pasaje, con muchas gentes; no te doy la dirección, porque como no he pagado el arriendo, mañana o pasado me echarán". Y agrega Pedro Prado: —"Lleva también el sombrero de anchas alas, y algunas arandelas así".[21] Sabemos, pues, que vivió saltando de pensión en pensión, apremiado por su bolsillo escaso; años más tarde esta pobreza se hace poesía en su "Oda a la pobreza", que no deja de tener valor biográfico para completar la imagen de la juventud de Neruda en Santiago:

> Cuando alquilé una pieza
> pequeña, en los suburbios,
> sentada en una silla
> me esperabas (probreza),
> o al descorrer las sábanas
> en el hotel oscuro,
> adolescente,
> no encontré la fragancia
> de la rosa desnuda,
> sino el silbido frío

de tu boca.
Pobreza
me seguiste
por los cuarteles y los hospitales,
por la paz y la guerra.
Cuando enfermé tocaron
a la puerta:
no era el doctor, entraba
otra vez la pobreza.
Te vi sacar mis muebles
a la calle:
los hombres
los dejaban caer como pedradas.

——————————————————————————[22]

Arturo Torres Rioseco lo visita en su cuarto de pensión y nos deja otra instantánea, ésta ya más tétrica que la anterior:

Al principio, cuando Neruda vivía en Santiago en una triste casa de pensión y dormía sobre un montón de cisco, alumbrado por dos velas, colocadas sobre un tarro de parafina, su vida, su manera de vestir y de hablar, su bohemia, le crearon una atmósfera más pintoresca que sus versos crepusculares.[23]

¿Vivía Neruda realmente como bohemio en Santiago? Y si así era, ¿quiénes eran sus compañeros de farándula? El mismo Tomás Lago en sus memorias "Allá por el año veintitantos . . ." nos brinda la respuesta, dándonos algunos detalles del ambiente literario en la capital chilena y de las andanzas y amistades de su amigo Reyes:

Hay retratos de la época en los cuales aparece tal como era entonces. Un muchacho pensativo, vestido de negro, poseído de grandes ideas sobre las cuales no hablaba, silencioso, estudioso y abstraído. Cuando yo llegué a Santiago en 1923, era ya un poeta destacado, y su poema "Farewell" se recitaba mucho en las veladas estudiantiles . . .

¿Compañeros de Neruda? Bueno, los poetas estudiantiles eran Roberto Meza Fuentes, Romero Murga, Eusebio Ibar, Raimundo Echavarría Larrazábal, Rubén Azócar, Armando Ulloa, Yolando Pino Saavedra, Martín Bunster, etc. Pero el grupo amistoso de Neruda era mucho más pequeño: Joaquín Cifuentes Sepúlveda, Alberto Rojas Giménez, Rubén Azócar, el que estas líneas escribe, y más tarde, Gerardo Seguel. Había también entre nuestros amigos un dibujante, ex condiscípulo del Liceo de Temuco de Pablo, que fue pronto devorado por la selva del dandysmo vicioso de Santiago: Federico Ricci Sánchez.[24]

A Alberto Rojas Jiménez le dedica Neruda un aéreo poema en *Residencia en la Tierra* y Tomás Lago y Rubén Azócar tienen sendos medallones en *Canto general.*

El mismo año de su llegada a la Capital participa en el concurso de "Prólogos para la Fiesta de la Primavera" de la Federación de Estudiantes de Chile y obtiene el Primer Premio con su poema "La canción de la fiesta" (14-10-1921), lo cual representa una resonante victoria para un poeta todavía desconocido si se tiene en cuenta que en el mismo concurso participaron poetas consagrados y de cierta nombradía como Ángel Cruchaga Santa María. "Aquel triunfo de Pablo Neruda causó mucho revuelo intelectual y la atención se dirigió al joven autor, quien entró a figurar entre los primeros escritores de Chile".[25] Colabora con regularidad en la revista *Claridad* y en 1923 aparece su primer libro: *Crepusculario.* Más adelante trataremos los valores del libro y las diferentes reacciones que provocó en el medio literario chileno; nos interesa ahora deslindar algunos de los rasgos biográficos más importantes. Al año siguiente publica el libro que lo consagra definitivamente: *Veinte poemas de amor y una canción desesperada.* Hasta su viaje a Rangú como Cónsul de Chile en 1927, publica *Tentativa del hombre infinito* (1926) y los libros en prosa *Anillos* (1926) en colaboración con Tomás Lago y *El habitante y su esperanza* (1926). Tiene escrito otro libro de versos, *El hondero entusiasta,* que no publicará hasta el año 1933.

2. Los primeros libros de Pablo Neruda en el panorama de la poesía chilena

El romanticismo había llegado con retraso a Chile; la influencia neoclasicista de don Andrés Bello y luego el nacionalismo exacerbado de José Victoriano Lastarria (1817-1888), que en el discurso de inauguración de la Sociedad Literaria dió la orientación vernácula que habría de seguir luego la literatura chilena,[26] hicieron germinar en Chile un romanticismo secundario, de corto vuelo lírico. Mariano Latorre, jefe del grupo de escritores regionalistas de este siglo y crítico, engloba este estado de anquilosamiento de las letras chilenas al informarnos sobre la situación literaria de Chile cuando llega a Santiago Rubén Darío: "A este ambiente de románticos retrasados y de clásicos sin sensibilidad, llega Darío en 1886".[27] En su estada en Santiago tuvo Rubén Darío algunos amigos que lo ayudaron y lo estimularon: Vicente Grez, Alcíbades Roldán, Pedro Balmaceda y Manuel Rodríguez Mendoza, pero ¡cuán diferente de su estancia en Buenos Aires cuatro años más tarde! En Buenos Aires Darío se transforma en el apóstol de un nuevo movimiento y es aclamado jefe literario por todos aquellos que ya se habían iniciado en la dirección modernista; en Santiago "Darío pasea su bronceada figura de indio mal vestido por las calles de la ciudad y por las redacciones de los diarios de la capital. Los elegantes caballeros santiaguinos lo ignoran. Los poetas lo tildaron de decadente. No sonaba su poesía a Campoamor o Núñez de Arce, los ídolos de la época".[28] Claro, hay que decirlo: a Santiago fue Darío cuando era todavía una figura anónima que caminaba sus primeros pasos y hacía sus primeros tanteos, vive como bohemio y con los bolsillos vacíos; a Buenos Aires llega como Cónsul de su país y *Azul*, publicado ya en una segunda edición, es su credencial poética. Sea como fuere, los chilenos, aún bajo la égida de un romanticismo osificado, muerto sin haber nacido, y un vernaculismo ortodoxo, no asimilaron las innovaciones del nicaraguense y más bien las rechazaron. El siguiente juicio de Domingo Melfi, crítico chileno y violento defensor de la tradición criollista, refleja la reacción de los chilenos al Darío de *Azul*:

Darío que había llegado a Chile en las postrimerías del siglo XIX, fué desconocido y zaherido. Era el raro, el que, como el poeta maldito de Verlaine, buscaba en el fondo de los vasos la gota trémula de la locura y la perversión.[29]

Unos pocos lo siguieron; así sus amigos Pedro Balmaceda y Abelardo Varela han sido señalados como los "precursores del rubenismo en Chile",[30] pero ambos mueren jóvenes y no echan raíces en la lírica chilena; la Revolución de 1891 retrasó aún más la aparición del modernismo en Chile, "desviando la poesía lírica hacia una especie de periodismo en verso, de carácter político, sin ningún valor estético".[31]

Interesantes como ilustrativos son los juicios del propio Rubén Darío sobre la poesía chilena de aquellos años. La primera opinión aparece en el prólogo que escribió al libro *Asonantes* de Narciso Tondreau; allí resume su estada en Chile, hace una breve reseña de los hombres de letras que conoció y dice de paso: ". . . por aquel tiempo la vida literaria en Santiago estaba en una especie de estagnación poco consoladora".[32] En *Historia de mis libros* (1912) el juicio se arrecia y deplora la falta de verdaderos poetas en la literatura chilena; hablando de sus años de Santiago como un período de aprendizaje, nos dice:

A pesar de no haber producido hasta entonces Chile principalmente sino hombres de Estado y de jurisprudencia, gramáticos, historiadores, periodistas y, cuando más, rimadores tradicionales y académicos de discreta descendencia peninsular, yo encontré nuevo aire para mis ansiosos vuelos y una juventud llena de deseos de belleza y de nobles entusiasmos".[33]

Otro juicio del mismo tenor, pero más severo aún, encontramos en una carta que Darío escribió en 1895 desde Buenos Aires a su amigo chileno Emilio Rodríguez Mendoza: "Un día me dijo Menéndez Pelayo que Chile no había tenido nunca un poeta en el sentido justo. ¿Y Vicuña Mackena? —le dije— . . . aunque en prosa. Me lo concedió sonriéndose".[35] Pero el juicio que mayor valor encierra para nosotros es aquel emitido por Darío en el prefacio para *La piedad sentimental*, novela rimada de Francisco Contreras, que el poeta de *Azul* escribió en París en 1911:

Desde *La Araucana* hasta nuestros días puede decirse que Chile no ha producido poesía. Lo ha hecho con luchas épicas y con mujeres divinas. En ese intermedio ha habido una gran floración retórica y utilitaria, a la que, for fin, ha sucedido un bello despertamiento de líricas savias. Ahí está lo hecho por la nueva generación, que se enorgullece con la producción del malogrado Pedro Antonio González, y que cuenta con líricos como Dublé Urrutia, Bórquez Solar, Valledor Sánchez, Magallanes Moure, Miguel Luis Rocuant. Entre ellos se destaca Francisco Contreras".[36]

Aunque este juicio pueda ser parte de "una doctrina de lucha" del poeta nicaraguense, como lo ha sugerido Raúl Silva Castro,[37] que ignorando u olvidando lo pretérito busca exaltar lo presente, no deja de tener valor para ubicarnos en las nuevas direcciones de la poesía chilena. En efecto: Darío elogia a aquellos poetas que saliendo del viejo retoricismo encuentran cauce en la nueva corriente modernista. El primero de ellos es Pedro Antonio González (1863-1905) considerado el iniciador del modernismo en las letras chilenas. Ya en 1899 el diario *La Ley* había comenzado a publicar en su anexo dominical traducciones y estudios sobre poetas franceses. Francisco Contreras se esforzó por difundir e interpretar la obra de Darío en Chile; asimismo, publicó desde Francia una colección de semblanzas de Verlaine. Ibsen, Huysmans, Heredia y otros con el título de *Los modernos* en 1909, secundando la labor de difusión del arte nuevo iniciada por Darío desde *Los raros*. Los libros de poesía de Contreras: *Esmaltines* (1898) y *Raúl* (1902) provocaron encendidas discusiones y reflejaron la actitud de la poesía joven en favor de un movimiento de renovación.

Pero es Pedro Antonio González quien mejor recoge las enseñanzas de los modernistas y las lleva a su poesía recogida en el libro *Ritmos* (1895); aparecen las rimas sonoras, los mármoles helénicos, las vírgenes, los monjes, los sitiales, los alabastros y la embriaguez verbal tan diferente del academismo de la poesía chilena.

Pero el modernismo que recién entraba en la poesía chilena, antes de consolidarse y dar alguna obra imperecedera, se apresura a buscar salidas. Apenas usado el nuevo traje ya se busca adaptarlo a las nuevas modalidades que hemos reseñado en el capítulo anterior al tratar el postmodernismo. Le es difícil a la poesía chilena, así nos lo indican sus poetas, soltar las amarras de los puertos viejos y seguros del nativismo y de lo popular y navegar en las aguas nuevas del parnasismo modernista. Tal es el caso, por ejemplo, de Carlos Pezoa Véliz (1879-1908); escribe poemas que son un modelo de preciosismo modernista, de rebuscada elegancia, aristocráticos, con toda la heráldica y los exotismos del modernismo preciosista, pero no le es difícil salir de este tono en. un período en que Zola y los novelistas rusos, especialmente Gorki, ejercen un dominio casi absoluto en las letras chilenas y la tradición literaria indica lo social y lo vernáculo como el verdadero norte de los escritores chilenos; se embarca, pues, Pezoa Véliz en el motivo popular. Aparecen en sus versos algunos elementos de poesía social que hemos señalado como atributo de la poesía postmodernista: el dolor de los humildes, la miseria, los huasos, los rotos, los obreros de la ciudad y el campo. Con ser anterior a Vallejo, la solidaridad humana del peruano es ya en Pezoa Véliz otra de las direcciones por las cuales el postmodernismo sale del modernismo: el criollismo o nativismo; el autor de "El pintor Pereza" canta la vida campesina, el alma de la tierra, el paisaje campestre, buscando interpretar lo autóctono. La poesía de Pezoa Véliz, pues, comienza modernista y luego se orienta por dos cauces que son ya patrimonio del postmodernismo, entre tanto ha asimilado las enseñanzas de Darío y Lugones y superado el retoricismo.

Al hablar de Gabriela Mistral en el capítulo anterior definimos otra de las direcciones del postmodernismo: el romanticismo o neo-romanticismo. Incluyamos en esta dirección a otro poeta chileno de este período: Manuel Magallane Moure (1878-1924). Bajo la influencia de Pezoa Véliz cultiva en su

primera poesía los temas campesinos: el paisaje, la tierra so-
leada, el campesino, temas que trae del Norte de Chile donde
nació. Posteriormente, y éste será el tono que prevalece, se
torna hacia sí mismo en un romanticismo moderado como la
factura modernista de su verso —Max Henríquez Ureña lo
ubica en la prudente derecha del modernismo—.[38] Sus versos
esfumados evocan la pintura impresionista; sus imágenes sen-
cillas y sopesadas traslucen una emoción recatada y casta, aún
cuando sea lo erótico lo que lo ocupa:

> El sol quemaba el aire, y caía, caía
> sobre mí, y en mi alma no sé que florecía.
> Algo en mí germinaba; algo ardiente, algo rudo.
> Y tus ojos brillantes y tu cuello desnudo![39]

Sus poemas son lagos tranquilos, sin napas subterráneas, y
a través de sus transparencias se dibuja un fondo depurado
y sencillo. Federico de Onís ha dicho de Magallanes Moure
que "es el iniciador no superado del gran desarrollo lírico de
Chile en el siglo XX".[40]

Hay otros poetas —Carlos Mondaca (1881-1928), Víctor
Domingo Silva (1882), Max Jara (1886)— que cuando no
se entregan a reflexiones metafísicas como en el caso del primero, siguen los surcos ya abiertos con las variantes que su
personalidad les impone. Hay un período en el cual conviven
esta generación nacida de la juntura del modernismo y el
postmodernismo con una segunda generación que habiendo
asimilado las nuevas técnicas y logros del modernismo, se
inician con las nuevas direcciones del postmodernismo; tales:
Angel Cruchaga Santa María, Gabriela Mistral y Pablo Neruda;
hay otros, pero nombramos los más importantes.

Tal es la situación de la poesía chilena cuando comienzan
a aparecer los primeros libros de Neruda. Las conquistas del
modernismo han sido incorporadas a la lírica chilena que
ahora forma un remanso de romanticismo, del cual emergen
voces sinceras, de timbre íntimo pero elegante: confesiones
que al hacerse verso se transforman en arte. Este verso es prudente y se cuida de los excesos de las nuevas corrientes; aún
camina tomado de la mano con su genitor modernista. En

1923 cuando el joven Neruda publica *Crepusculario* se incorpora a este remanso romántico de aguas modernistas, aunque ya asoman algunos chisporroteos nuevos y muy personales que rapidamente le confieren popularidad. Pero esta rápida difusión de sus versos muestra, por otro lado, que Neruda pisaba un suelo conocido y por lo mismo firme. Así lo vieron y expresaron sus contemporáneos; ese mismo año su compatriota Arturo Torres Rioseco escribió desde Minnesota un artículo comentando la aparición de *Crepusculario,* que fue publicado en Santiago en diciembre de 1923. Más que artículo es una corta reseña literaria; sin embargo adquiere la validez de un documento por constituir la primera apreciación crítica de la poesía de Neruda y reflejar las primeras reacciones de la crítica a su obra de juventud, sin esa perspectiva de la retrospección que luego va proyectando su obra posterior sobre sus primeras creaciones. He aquí lo que decía Torres Rioseco, entonces, de *Crepusculario*:

Pablo Neruda es uno de los poetas más jóvenes de Chile. Entre ellos los hay que hacen obra original y rebuscada como Pablo de Rocka; otros como Meza Fuentes se encierran en un silencio huraño y rebelde; los más entregan a las prensas periodicamente sus poemas; los menos (Mistral, Hubner, Morgad) rehusan darse en forma de libros porque todo libro es un estancamiento de la personalidad. Muy pocos son los poetas que tratan de hacer obra singular, de romper los moldes establecidos. No es que sean imitadores sino que nuestra manera de expresión rechaza la pirueta y los papelitos de colores. Nuestros poetas más representativos Pezoa Véliz, Max Jara, Magallanes y Mondaca han sido conservadores y prudentes y de esta manera nos han dado una poesía serena y de valor permanente.

Pablo Neruda continúa esta tradición. En su libro *Crepusculario* se nota esta tendencia harmoniosa y firme de los poetas que duran. Naturalmente su libro no hará sonar los panderos de la crítica del momento, pero ya ésta es una señal de originalidad. En una época de renovación los más originales son generalmente los más impersonales.

Por otra parte su juventud y su sinceridad deben justificar las insuficiencias de su obra. Así lo pide él mismo en sus palabras iniciales:

He ido bajo Helios, que me mira sangrante
laborando en silencio mis jardines ausentes.
Mi voz será la misma del sembrador que cante
cuando bote a los surcos siembras de pulpa
ardiente. Cierro, cierro los labios, pero
en rosas tremantes se desata mi voz, como el
agua en la fuente. Que si no son pomposas,
que si no son fragantes, son las primeras
rosas — hermano caminante— de mi desconsolado
jardín adolescente.

En su poema "Oración", lo mejor del libro, logra Neruda expresar su yo de una manera rotunda. Cuando defina su temperamento y aumente su poder de expresión será uno de los más seguros poetas del parnaso chileno.[41]

Crepusculario, pues, continúa en Chile una tradición poética, respetando los "moldes establecidos" y rechazando las "piruetas" de las nuevas tendencias de vanguardia. La gran mayoría de sus versos están medidos con los metros tradicionales, predominando el alejandrino, el endecasílabo y el eneasílabo; la cuarteta es la forma estrófica favorita, hay algunos sonetos y otras formas irregulares; la rima es constante. También los temas se mueven dentro de lo tradicional en tonos morigerados: el desencanto y la tristeza aparecen sin la frivolidad modernista; melancolía sincera, sin erupciones. El amor es un anhelo, un deseo y luego un voto: "Amo el amor de los marineros/que besan y se van". Hay algunos motivos con los cuales podría emparentarse con los modernistas: lo exótico a través de "Pelleas y Melisanda", pero es exótico solo por el tema, pues está tratado no con la intención de exaltar la novedad o la rareza, sino con un romanticismo delicado de artífice sin caer en lo artificial. Y la nota nativista, que no podía faltar en un poeta chileno, tiene su modelo en "Sinfonía de la trilla"; su "Ah yeguay-eguaa!" es una prolongación de la tradición criollista que tuvo tantos cultores en

Chile. En su poema "Oración" se ha querido ver un primer intento de poesía social[42] en el cual el poeta sale en defensa de una de las víctimas más hostigadas del orden social: la prostituta. Tal vez. Recordemos una vez más que los temas sociales, y el tema de la prostitución incluído en ellos, ocuparon siempre a la literatura chilena, formando una tradición cuya influencia había llegado a Carlos Pezoa Véliz, en quien lo social cubre una gran parte de su producción poética.

No obstante esta fidelidad a lo tradicional hay ya algunas audacias: combina diferentes metros con agilidad y su poema "Final" es ya un modelo de versolibrismo, sin rima y con estrofas anárquicas. La imaginería también presenta algunos rasgos peculiares; junto a lo trillado —"cielo estrellado", "fragancia de lilas", "ebriedad de sueño", "alma desnuda", "llanto de princesa", "fulgor de las estrellas", "la tarde cayendo sobre los tejados", "noches estrelladas"— aparecen imágenes atrevidas como: "oferta redonda de los senos", "estoy crucificado como el dolor en un verso", "Amo el amor que se reparte en besos, lecho y pan", "palabras que se evaden como peces", "el cielo se abre como una boca de muerto", "relincho de cristal", "carros de vientres fecundos" y otras. En el procedimiento. las imágenes son aun lanzadas a través del carril seguro del símil; la metáfora desobediente es escasa o ausente. Ilustremos con algunos ejemplos esta sobriedad:

> La sombra de este monte protector y propicio,
> como una manta indiana fresca y rural me cubre;
> bebo el azul del cielo por mis ojos sin vicio
> como el ternero mama la leche de las ubres.[43]

La sombra del monte es comparada con una manta indiana, y el aprehender el azul del cielo, bebiéndolo, tiene su paralelo en el ternero mamando la leche de las ubres; estas comparaciones están enlazadas casi siempre por la palabra "como", de manera que el lector no tiene ninguna dificultad en la comprensión de la imagen; ese "como" al limitar los dos elementos que forman el símil ha facilitado la tarea del lector que de inmediato ha asociado la avidez del ternero con la de los ojos del poeta y la protección de la manta con la de la sombra del monte que protege al poeta; es decir el "como" le advierte de inmediato donde debe buscar la equivalencia de la imagen a través de la cual el poeta busca la intensidad que le falta a las cosas cuando sólo se las nombra. En *Crepusculario* los dos elementos del símil no son demasiado complicados, la comparación es moderada y el salto no exige ningún esfuerzo. Asi por ejemplo en "Pelleas y Melisanda".

> Melisanda, la dulce, se ha extraviado de ruta,
> Pelleas, lirio azul de un jardín imperial,
> se la lleva en los brazos, como un cesto de fruta.

En "Final" lo incontenible del corazón del poeta es comparado con lo incontenible del amanecer:

> Vinieron las palabras, y mi corazón
> incontenible como un amanecer,

Otros ejemplos: "Mi alma es un carrousel vacío en el crepúsculo:"

> pobre como una hoja amarilla de otoño

"Sinfonía de la trilla:"

> mi vida en las canciones de tu boca
> como un grano de trigo en tus trojes . . .

"Playa del sur:"

> Y una bandada raya el cielo
> como una nube de flechazos . . .

"Mancha en tierras de color:"

> Un alado pino de pájaros sube
> como una escalera de seda, una nube

> La cabeza de Laura Pacheco
> rubia como el alma de las manzanillas.

Sólo algunas veces el símil ofrece alguna dificultad; cuando dice, por ejemplo: "entre la niebla los árboles obscuros se libertan y salen a danzar por las calles" o "mi alma es un carrousel vacío en el crepúsculo"; pero tal dificultad es insignificante si pensamos en el aluvión de imágenes caóticas que vendrá con *Residencia en la Tierra*. Agreguemos, finalmente, que en todos los casos las imágenes no existen por sí mismas; es lo anecdótico del poema, o la descripción, lo que solicita su concurso. La historia o narración, como esqueleto del poema, nunca falta en *Crepusculario*.

Trece años después de la aparición de *Crepusculario*, Arturo Aldunate Phillips en una conferencia dictada en la Universidad de Chile definía al libro diciendo: "El molde conocido, pero el contenido rico, sincero y vigoroso"[44] y agregaba: "Este primer libro resulta hoy (1936) fácilmente comprensible para cualquiera, pero entonces, hace trece años, se destacó como atrevido y rebelde"[45]

En *Retratos literarios*, publicado en 1932, Raúl Silva Castro decía comentando el poemario:

... En el libro mencionado se oye balbucear cosas grandiosas a un poeta que no posee aun enteramente su lengua ni sabe todavía en forma clara lo que quiere ni adónde va".[46]

Y agregaba:

Sin embargo, a pesar de las vacilaciones de la adolescencia, en *Crepusculario*, hay iluminaciones sorprendentes, versos en los cuales hallamos ya los rasgos tónicos del gran poeta que se envuelve en la capa de normalista, por entonces colgada de sus hombros. Nacen así sus poemas de amor loco, en los cuales topamos expresiones de sensualidad suma, de tristeza ejemplar y duradera, de filosofía desencantada y gemebunda, de fresco y sensual panteísmo".[47]

El examen más detenido del libro y la nueva perspectiva de la obra posterior de Neruda proporcionó a la crítica chilena nuevos elementos para una mejor apreciación del libro: se reconoce su entronque con la poesía tradicional de la cual se nutre, pero se acepta la aparición de brotes nuevos que ya son exclusivamente suyos y se imponen por su sinceridad. Encontrar lo primero no había sido difícil; bastaba leer el libro para captar de inmediato la tonalidad postmodernista que había capitalizado los logros del rubenismo en un romanticismo depurado; por otro lado, el poeta mismo advertía su genealogía:

> Yo lo comprendo, amigos, yo lo comprendo todo.
> Se mezclaron voces ajenas a las mías . . .[48]

Pero se apuraba a reclamar:

> Fueron creadas por mi estas palabras
> con sangre mía, con dolores míos
> fueron creadas![49]

Tampoco lo segundo —los brotes nuevos— era difícil demostrar; los primeros versos de Neruda alcanzaron rápida popularidad y un entusiasmo que rubricaba el acento nuevo contenido en *Crepusculario*. De Mariano Picón-Salas es este boceto que ofrece la mejor imagen de la popularidad de Neruda por aquellos años:

> A los 19 años de su edad ya Pablo Neruda tenía discípulos que se vestían como él, le copiaban las metáforas y el descoyuntado andar nocturno y el canto melancólico de su voz en el que parecía estilizar con maña y conciencia, la afligida y lenta voz del hombre de Temuco, de las verdes y llovidas tierras del Sur de Chile. Cuando en la noche recorríamos la ciudad en demanda de una cerveza bohemia o de un té barato, ya nos salía de cualquier esquina o de una confidencia de joven embriagado el conocido verso del poema de "Farewell":

> Amo el amor de los marineros
> que besan y se van.[50]

Todo intento de ubicar la primera poesía de Neruda

71

dentro del panorama literario chileno tropezará con el interrogante: ¿por qué la primera poesía de Neruda se eleva en los moldes tradicionales en aquellos años en que las nuevas tendencias de vanguardia no sólo estaban en boga sino que arrastraban ya a los jóvenes poetas de todo el continente? Recordemos que la conferencia de Vicente Huidobro, en la cual habló el chileno de una poesía nueva y diferente, había sido pronunciada en Buenos Aires en 1916, y que el ultraísmo en Buenos Aires vive oficialmente entre los años 1919 y 1922.[12] Podríamos responder diciendo que el joven Neruda está en la etapa de aprendizaje y que naturalmente debió elegir lo tradicional y seguro para dar sus primeros pasos. Sin embargo, a pesar de su juventud, Neruda había tenido contacto con las nuevas tendencias, conocía sus alcances y límites. Tomás Lago nos ha dejado una descripción del Neruda de los años de *Crepusculario* moviéndose en aquel ambiente donde ya pululaban los gérmenes vanguardistas y que muestra la actitud deliberada de Neruda hacia la nueva poesía:

Neruda, a pesar de las insinuaciones, rechazó desde el primer momento todo contacto con los grupos superrefinados (paraísos artificiales y demás) que frecuentaban los cafés del centro y, practicamente solo, lo veíamos en el barrio de Avenida España. Además sólo bebía café. Sin embargo su interés por la vida literaria era muy grande y lo poseía por entero. Sin hacer ningún alarde especial era evidente que todos sus proyectos y esfuerzos estaban destinados a producir poesía. Siempre fue así. Sus experiencias diarias, amores, amistades, conocimientos, penas y alegrías iban a dar a esa pira encendida para ser transformados en nociones, imágenes y elementos poéticos. Pero también nadie menos afectado que él en su comportamiento social. Me refiero a la sobriedad de su conducta.[12]

Neruda, pues, más atento a sus propias experiencias que a las modas literarias, no se precipita y prefiere la sobriedad. Espera. Todavía no ha llegado el momento de vaciar su poesía en moldes novedosos; la forma tradicional está más en consonancia con su sensibilidad que comienza a abrirse anegada en una tristeza que se deshace en dolor; es una tristeza que al complacerse en sí misma busca la claridad de la belleza para iluminarse:

Los miro entre la vaga bruma del gas y del humo.
Y mirando estos hombres sé que la vida es triste."

considerando
Intuyendo que las formas nuevas no le corresponden, las rechaza. Su evolución poética lo conducirá luego a un gradual ensimismamiento y la tristeza cuajará en angustia; su sensibilidad se engolfa, entonces, en su propia angustia que lo destruye y para expresarla en toda su intensidad y todo su caos, extremará las técnicas y su verso se oscurecerá hasta el hermetismo. Pero ese momento no ha llegado todavía, y, cuando aún su juventud, la tristeza y el amor lo iluminan, ¿por qué oscurecerse? Es una luz hiriente —"la inmensa rojedad de un sol que ya no existe","— claridad de crepúsculo, pero claridad al fin.

Nos hemos detenido en este punto pues esta correspondencia entre la sensibilidad y su expresión adecuada es uno de los rasgos permanentes de la poética de Neruda; la forma está siempre atenta a los cambios en el contenido y cada nuevo hallazgo de su sensibilidad corresponde a una etapa diferente en su evolución poética; en su posterior poesía social, por ejemplo, el hermetismo de *Residencia en la Tierra* se abre para adoptar un tono casi didáctico. Neruda, muy conciente de este equilibrio, nos dice explicando su reserva, en la época de *Crepusculario,* hacia las nuevas técnicas de vanguardia que él rehusaba adoptar:

Yo sabía que no iba a ser un poeta rutinario, y esta certeza hizo que, lejos de escribir y escribir dentro de aquellas rutas en boga, me evadiera para esperar y recibir sólo el momento definitivo."

Al año siguiente de la aparición de *Crepusculario* —1924— publica Neruda su segundo libro que representa su consagración definitiva: *Veinte poemas de amor y una canción desesperada.* Para muchos aún hoy continúa siendo el mejor libro

73

de Neruda.⁵⁶ *Veinte poemas* fue una aportación no sólo para la poesía chilena sino también para las letras hispanoamericanas. La novedad no residía en la forma; aún predominan el alejandrino, la estrofa de cuatro versos y de dos, ya usada en *Crepusculario,* desaparecen los últimos resabios de rima que ya habían comenzado a esfumarse en *Crepusculario*; la imaginería aparece con cabos atados a la estructura del poema y estos nudos le confieren lógica y claridad. Lo nuevo consistía más bien en un entusiasmo desbordante por lo sensual, el amor carnal sin remilgos y sin coqueteos. Abandona los romanticismos del amor —los suspiros, las fiebres, los proscenios del enamorado— para transportarlo de la esfera donde se prepara al lugar donde se hace. Comentando esta actitud nueva de la poesía amatoria de *Veinte poemas* nos dice Raúl Silva Castro:

> De este amor carnal "que se reparte en besos, lecho y pan", extrae Neruda la esencia fuerte, inquietante, perturbadora que parece nueva en la poesía chilena. Quiere perpetuar en los versos que le brotan como hojas a las plantas, la emoción del lecho revuelto, el latido de la vena presurosa, la fiebre y el desmayo de la cópula. De esta tensión están llenos casi todos los poemas de este libro.⁵⁷

Y luego, ubicando a Neruda como innovador de la poesía erótica, traza un paralelo entre los poemas de amor de Magallanes Moure y éstos de Neruda, mostrando la distancia recorrida entre uno y otro:

> En páginas anteriores hemos visto a Magallanes Moure cantar también el amor. Qué distancia entre Neruda y el poeta que moría maduro precisamente en los años en que aquél comenzaba a ser conocido en Santiago. Magallanes es académico, por decirlo así, en la expresión de sus ansias y de sus ternuras. No habla propiamente del amor sexual, del combate cuerpo a cuerpo en que batallan los sexos, por lo menos, como las almas, sino del proceso psicológico y sobre todo de las etapas precursoras del encuentro. Le interesan las citas, las reconciliaciones,

los paseos solitarios, las cartas que se cambian los enamorados, los recuerdos con que alimenta su pasión; ve en la naturaleza formas que le evocan la ternura de la mujer amada; viste a la vida en torno del color de su esperanza. Neruda, en tanto, nos lleva hasta el recinto mismo en que un hombre y una mujer se han amado, y elogia la desnudez que parece no cansarse de contemplar, el abandono, la angustia, la pasión brutal que salta y muere.[58]

Esta presencia desnuda del amor, en galope frenético por la carne, no podía ser reflejada a través de la imaginería consagrada del amor que se complace en una impresión visual del ser amado, que, por lo esfumada, se nos escapa sin que jamás lleguemos a sentir la sensación de lo que se toca. En Magallanes Moure el amor se iba entre evocaciones y tensiones de alma y por eso nos llega a través de imágenes que nos recuerdan a Monet o Renoir; en Neruda el amor es un cuerpo de mujer:

He ido marcando con cruces de fuego
el atlas blanco de tu cuerpo.
Mi boca era una araña que cruzaba escondiéndose,
en tí, detrás de tí, temerosa, sedienta.[59]

Sus imágenes nos sugieren ahora el pincel expresionista de Rouault; el amor es un trazo negro cuya pincelada va contorneando las desnudeces de ese "cuerpo de piel, de musgo, de leche ávida y firme".[60] Este disparo del amor, cayendo en el impacto sin distraerse, constituyó la gran novedad del pequeño poemario. La influencia de *Veinte poemas de amor* trascendió los límites de Chile para extenderse por todo el continente; hay quienes han comparado la influencia de *Veinte poemas* en la poesía hispanoamericana con aquella ejercida por *Azul* de Rubén Darío.[61] "Jamás el amor, la exaltación de la mujer y el tema de la pasión habían sido tratados con un lenguaje tan espléndido".[62] En *Veinte poemas* el lenguaje de *Crepusculario* se hace más personal y más poético, esto es, más rico en imágenes de sólida belleza, y más jugoso por lo evocativo; la imaginación se ha liberado de ropajes innecesarios y, ganado en agilidad y audacia, ahora retoza por el continente del amor alcanzando las más recónditas "colinas" y trepando por la "piedra transparente". Las imágenes, símiles y metáforas tienen preferencia por lo concreto, anticipándonos lo que será un río metafórico de materialidad en *Residencia en la Tierra;* el verbo y el adjetivo, por su natural función de elementos de abstracción del lenguaje, son evitados y se los reemplaza por una visión directa de cosas que pueden transmitir la idea contenida en el verbo o el adjetivo sin arrebatarles la frescura que el uso fue secando; a lo abstracto se opone lo perceptivo y primario. Así la imagen de una "enredadera" ascendiendo por los brazos del poeta confieren a la idea del abrazo la intensidad ausente en el verbo:

Apegada a mis brazos como una enredadera[63]

Viejo recurso de la poesía, pero que Neruda ha usado con habilidad y arte, en armonía con el contenido de su poesía. Siempre que puede esquivar un adverbio, un verbo, un adjetivo reemplazándolo con imágenes de cosas concretas, perceptibles, sugestivas, así lo hará. Evitando lo gastado, el lenguaje de Neruda va ganando en intensidad. Otros ejemplos del mismo procedimiento: lo cambiante y tornasolado de la tarde le sugiere:

viejas hélices del crepúsculo[64]

la flexibilidad de la cintura de la mujer:

En torno a mi estoy viendo tu cintura de niebla[65]

Y las nubes son:

pañuelos blancos de adiós . . . [66]

Las palabras susurradas aparecen como:

huellas de gaviotas en las playas[67]

La noche transcurriendo en las sombras, entre claroscuros:

galopa en su yegua sombría
desparramando espigas azules sobre el campo[68]

La lluvia cayendo es:

agua (que) anda descalza por las calles mojadas[69]

Y el cuerpo de la mujer amada: "Velero de rosas", "ola única", "vestido de besos" o "pez pegado a mi alma".[70] Los ejemplos son innumerables.

3. *Formación estética de Pablo Neruda*

El estudio de las fuentes de la obra de Neruda encuentra su primer escollo en el casi absoluto silencio que el poeta ha guardado sobre su formación intelectual, sus gustos estéticos y sus afinidades literarias. Su conferencia 'Viaje al corazón de Quevedo" —editada en 1947— es uno de los pocos trabajos en prosa, si no el único, que puede servir de documento para un estudio de esta naturaleza, pero corresponde a una etapa más tardía de su obra. Contrariamente a poetas como Rubén Darío o Ramón López Velarde, que junto a su poesía han dejado una extensa labor crítica en prosa que el estudioso usará como sismógrafo para revelar simpatías, estímulos y parentescos, Pablo Neruda se ajusta celosamente a su condición de poeta y su verso constituye el único asidero a su personalidad y a las raíces que la nutren. Consciente del problema escribe en el prefacio a sus *Obras completas,* luego de haber trazado a pincel de acuarela algunos momentos de su infancia:

No he hablado gran cosa de mi poesía. En realidad entiendo bien poco de esta materia. Por eso me voy andando con las presencias de mi infancia. Tal vez, de todas estas plantas, soledades, vida violenta, salen los verdaderos, los secretos, los profundos "Tratados de poesía" que nadie puede leer porque nadie los ha escrito. Se aprende la poesía paso a paso entre las cosas y los seres, sin apartarlos sino agregándolos a todos en una ciega extensión de amor.[71]

77

La segunda dificultad reside en la transformación de la estética del poeta chileno a lo largo de su creación artística, y, tras esto, los cambios en la hechura, tonalidad y temas de su verso. Esta metamorfosis va dibujando el crecimiento del poeta y su itinerario poético, lo cual facilita el reconocmiiento de las diferentes etapas en su poesía, pero junto a esto nos impide englobar su estética en una unidad y, por ende, tratarla como tal. Cada mutación en su lírica comporta nuevos gustos y simpatías estéticas. Atendiendo a este problema hemos buscado superarlo tratando cada una de esas etapas en capítulos separados; hemos distinguido de esta manera un período de afinidad postmodernista, un segundo de tendencia vanguardista, un tercero de poesía social y un cuarto que encuadramos bajo la denominación de "Oda elemental" por ser esta la nueva modalidad predominante. Al tratar cada uno de estos períodos señalaremos sus rasgos más importantes y trataremos de explicar la integración de cada modalidad a su poesía. Aunque señalaremos algunas afinidades literarias no pretendemos hacer un estudio meticuloso de las fuentes con el rigor, a veces obtuso y deformante, de los que buscan en cada palabra una influencia.

Rubén Darío

Al resumir algunos de los elementos más importantes en la evolución de la lírica chilena vimos cómo, vencidos los empecinamientos de la vieja retórica, el verso modernista fue ganando a la poesía chilena; vimos también como el obstinado criollismo se viste con traje modernista y se resiste a abandonar el parnaso chileno; finalmente anotamos la aparición de un romanticismo de corte postmodernista. Neruda, que en sus primeros poemas en *Crepusculario* refleja un claro conocimiento de la técnica, temas y recursos del modernismo, indudablemente conocía ya a Darío. Comentando *Crepusculario* nos dice Cardona Peña:

Advertimos las influencias francesas, y, desde luego, la cercana presencia de Rubén Darío, a quien sentimos rondar, como un fantasma en gozo, por las torrecillas de los primeros sonetos blancos, aquel de la iglesia que no tiene lampadarios votivos, y sobre todo el titulado "Pantheos".[72]

Pero en ésta como en las demás influencias que absorberá posteriormente el verso de Neruda hay un principio rector que es necesario dejar sentado: no le interesa a Neruda estar a tono con las modas literarias; como a todo artista auténtico, le preocupa la forma, pero no como juego en sí mismo sino como vehículo de su propia sensibilidad y "todo lo que no llega a ella no le corresponde"/ Lo que asimila de otros, pues, no son afeites en su verso sino más bien estímulos, impulsos que aligeran la marcha cuando ésta aún no ha conseguido su estabilidad y dominio absolutos. Después de todo, el mismo Rubén Darío es el poeta hispanoamericano que más influencias ha absorbido en su juventud y, por otra parte, ¿qué poeta no ha necesitado de andadores en sus primeros años de aprendizaje?

Los contactos de Neruda con Darío se producen en esa parte de la lírica del nicaraguense que está más cercana a la sensibilidad del chileno; no la Francia de los Luises, no los exotismos orientales ni las mitologías, sino en esa angustia del vivir, mezcla de duda y desencanto, y esa inquietud por los misterios de la vida presente en *Cantos de vida y esperanza*. Aquel "yo no sé por qué estoy aquí, ni cuando vine" del Neruda adolescente, ¿no es un eco del "Y no saber a dónde vamos ni de dónde venimos" del Darío de *Cantos?* Y el "Nuevo soneto a Helena" de *Crepusculario,* más que una alusión a aquella Helena de los sonetos de Ronsard, lejana dama de honor de Catherine de Medicis, ¿no está más bien dirigido a aquella Helena hija de Júpiter y Leda, que el poeta nicaraguense proclamara en "El cisne" como ideal de hermosura? Y al presentarla envejecida y con los "senos tristes", ¿no parece estar desafiando a la estética parnasiana envejecida?

Si rastreamos podemos encontrar otras huellas de Darío en *Crepusculario;* así por ejemplo el primer verso del soneto "Pantheos" "Oh pedazo, pedazo de miseria" nos recuerda aquel otro encabezamiento "Oh, miseria de toda lucha por lo finito" del poema XV de *Cantos;* o bien:

> Entre los surcos tu cuerpo moreno
> es un racimo que a la tierra llega
>
> ---
> Tu carne es tierra . . .

del poema "Campesina" que sugiere aquel bien conocido verso de "Lo fatal" en *Cantos* de Darío:

> Y la carne que tienta con sus frescos racimos.

Finalmente el soneto "Melancolía" de *Cantos* parece encontrar respuesta en el soneto "Viejo ciego, llorabas . . . " de *Crepusculario* medido en alejandrinos como el del nicaraguense; Darío transido de melancolía y dudas hace su camino de zozobras y clama por luz:

> Y así, ciego y loco, por este mundo amargo;
> a veces me parece que el camino es muy largo,
> y a veces que es muy corto.[73]

Y Neruda adolescente responde:

> Porque si tú conoces el camino que lleva
> en dos o tres minutos hacia la vida nueva
> viejo ciego, qué esperas, qué puedes esperar?
>
> Y si por la amargura más bruta del destino,
> animal viejo y ciego, no sabes el camino,
> Yo que tengo dos ojos te lo puedo enseñar.[74]

Por otro lado, la palabra "melancolía" que en el soneto de Darío se repite dos veces y forma su atmósfera, aparecerá luego en los *Veinte poemas de amor* para constituir uno de los tonos dominantes.

Es claro que no debemos limitarnos a algunos ejemplos aislados para determinar una influencia o afinidad; estos ejemplos sólo corroboran lo que el propio Neruda había dicho refiriéndose a Rubén Darío:

Las influencias nos vienen a veces, con toda una época de por medio, en el estilo de escritores a los que suponemos que no debemos nada. Muchos creerán que no tienen nada que ver con Darío y sin embargo, si escriben como lo hacen, lo deben a aquel fulgor de Rubén que modificó de modo tan trascendental la lengua castellana.[75]

Este juicio entregado de pasada a la prensa colombiana en 1941 encuentra su formulación definitiva en su conferencia "Viaje al corazón de Quevedo":

Martí nos ha dejado dicho de Quevedo: "Ahondó tanto en lo que venía que los que hoy vivimos con su lengua hablamos". Con su lengua hablamos . . . ¿A qué se refiere aquí Martí? A esa su calidad de padre del idioma que, como en el caso de Rubén Darío, a quien pasaremos la mitad de la vida negando para comprender después que sin él no hablaríamos nuestra propia lengua, es decir, que sin él hablaríamos aún un lenguaje endurecido, acartonado y desabrido.[76]

En 1949 visitó el poeta cubano Nicolás Guillén a Pablo Neruda en su casa de Isla Negra, unas semanas después evocaba Guillén la visita y contaba a propósito de la admiración de Neruda por Darío:

Un día Pablo me alargó un pequeño volumen. — ¿Sabes qué es esto?— me preguntó. Vi lo que era: un ejemplar de la edición príncipe de *Azul* de Rubén Darío, impresa en Valparaíso, donde a la sazón residía el inmortal nicaraguense, como es sabido. —Lo he dejado sin abrir— me dijo —tal como lo encontré en una librería de viejo. Supe que era sobrante de un lote que el editor no pudo vender.[77]

Carlos Sabat Ercasty

Más determinante y visible es la influencia que tuvo el poeta uruguayo Carlos Sabat Ercasty en la poesía de Neruda. Cuando publica *El hondero entusiasta* en 1933 anticipa a sus lectores que el libro "no quiere ser sino el documento de una juventud excesiva y ardiente" y que los poemas recogidos forman parte de su producción desarrollada hace ya cerca de diez años; "la influencia que ellos muestran del gran poeta uruguayo Carlos Sabat Ercasty y su acento general de elocuencia y altivez verbal me hicieron sustraerlos en su gran mayoría a la publicidad".[78] Años más tarde, cuando el libro es ya historia literaria, el mismo Neruda nos cuenta como nacieron aquellos poemas:

> Los escribí a los 18 años, en el segundo piso de una casa de Temuco, en el sur de Chile, una noche totalmente llena de estrellas. Tan conmovido estaba, que escribí íntegro ese poema, quedando agotado y tembloroso, pero con la impresión de algo original en la escritura. Leyendo después *El hondero* en Santiago, me dijeron que tenía una marcada influencia de Carlos Sabat Ercasty, el gran poeta uruguayo de "Alegría del mar". Decidí entonces escribir a Sabat, mandándole el poema y diciéndole si advertía influencia suya en el texto. Me contestó una hermosa carta afirmando que, efectivamente, el poema tenía influencia suya. Entonces decidí no escribir un solo poema más; rompí y corté muchas partes. *El hondero entusiasta* se publicó hasta diez años más tarde, cuando ya el asunto no podía dañarme. Pero el fruto de ese cambio hizo que encontrara el nacimiento de mis *Veinte poemas de amor.*[79]

En efecto, en su segundo libro ha encontrado Neruda su modo poético, tan personal que crea una verdadera modalidad que sus seguidores tratarán de imitar, "pero reminiscencias imaginativas de Sabat hay en los otros libros de Neruda y no han desaparecido del todo en *Residencia en la Tierra,* aunque aquí figuran como simples materiales profundamente transformados".[80] Amado Alonso ha estudiado con paciencia y austeridad las huellas del uruguayo en la poesía de Neruda; ha cotejado textos con criterio ancho, superando la estrechez de la lupa del detective. Encuentra, por ejemplo, que el uso de las frutas en la obra del uruguayo, y en especial en su libro *Vidas,* aparece en la poesía del chileno; nos muestra los textos a través de los cuales la influencia es evidente, pero no se queda en la semejanza de las palabras sino que, penetrándolas, nos explica qué ha conseguido el uno y el otro a través del mismo recurso literario y nos dice:

> En Pablo Neruda, las determinaciones tradicionales de temprano o prohibida, han sido casi del todo abandonadas, y las frutas le sirven para sugerir conjuntamente los deleites del tacto, del gusto y de la vista, que es donde se muestra la influencia especial del poeta uruguayo.[81]

O cuando trata del impulso genésico que ambos poetas usan como uno de sus temas favoritos, anota:

> También Sabat Ercasty ha poetizado el impulso genésico desatado por todas partes. Pero Neruda, con su visión de "membra disjecta", representa una vez más las fuerzas de la dispersión; Sabat Ercasty, que compone y desarrolla, se complace en el tradicional goce constructivo del espíritu. Ambos usan los mismos materiales, pero para diferentes esculturas.[82]

Y finalmente encuentra Alonso que lo cósmico en el verso de Neruda tiene ascendencia en la lírica del poeta uruguayo:

> Hay en nuestro poeta dos tendencias distintas e interdependientes: la una a aplicar su fantasía a lo cósmico o telúrico u oceánico, como temas grandiosos. Esta tendencia es, en parte, un gusto heredado de su maestro de juventud, el schopenhaueriano Sabat Ercasty.[83]

Otro de los estudios dedicados a este aspecto de la obra de Neruda es el publicado por Juan Meo Zilio en 1960. El trabajo se titula "Influencia de Sabat Ercasty en Pablo Neruda"; es más bien un inventario lexicográfico de todos los lugares donde el autor cree notar el paso de Sabat en el verso de Neruda. En primer lugar distingue influencias de fondo e influencias de forma; en la primera categoría incluye 18 tópicos diferentes y para ilustrarlos colecciona todos los ejemplos que quede entresacar de la obra de Neruda con el respectivo paralelo de Sabat; en la segunda categoría sigue el mismo criterio y anota quince recursos estilísticos que Neruda habría adoptado del estilo de Sabat. El catálogo de Meo Zilio puede servir como concordancias para un estudio más concienzudo y profundo de la presencia de Sabat Ercasty en la obra de Neruda. Injustas nos parecen, asimismo, sus conclusiones en las que trata de presentar la lírica del uruguayo buscando y encontrando siempre la integridad, la comunión superior y el equilibrio deseado, y dejando al verso de Neruda en la desintegración, en la fuga, el naufragio y la alteración; elementos que, aunque corresponden al mundo poético de Neruda, encontrarían su verdadero perfil y relevante valor dentro de un análisis de mayor alcance.

La conclusión de Amado Alonso nos parece la más sopesada y apropiada para cerrar este tema:

Nunca se ve mejor la originalidad de un poeta que cuando trata con personalidad libre el mismo tema que un predecesor con quien forme tradición.[84]

Rabindranath Tagore

Tagore fue conocido en el mundo occidental gracias al poeta inglés William Butler Yeats que lo descubre, difunde su obra y prologa uno de sus libros; en 1914 el poeta hindú obtiene el Premio Nobel y sus obras adquieren renombre mundial. Las primeras versiones en castellano llegaron a través de las excelentes traducciones de Juan Ramón Jiménez en colaboración con su esposa Zenobia Camprubí, y desde entonces Tagore es leído con entusiasmo asombroso en América hispana. En mayor o menor medida, aquellos que navegaron en las aguas románticas del postmodernismo le deben algo al maestro hindú. ¿Cómo sustraerse de las mieles de esa fruta sazonada con el néctar de todas las exquisiteces? Gabriela Mistral ha recordado lo que le debe a este instructor de juventudes y en su libro *Desolación* no resiste la tentación de comentar algunos poemas de Tagore a través de personalísimas exégesis líricas.

En el "Poema 16" de *Veinte poemas de amor* Neruda nos advierte: "Este poema es una paráfrasis del poema 30 de *El jardinero* de Rabindranath Tagore",[85] lo cual acusa una lectura detenida y absorbente del poeta hindú; la lírica jugosa de Tagore hurgando frutos y alimentos, cascadas y ríos, cielos y mares, montañas, bosques, aves y flores, penetrando en la variedad del mundo para revelar su mensaje oculto, indudablemente debieron entusiasmar al joven Neruda preocupado ya en encontrar la materialidad de todas las emociones y dotar de espíritu a la materia. También el tono de intimidad y confesión de Tagore debieron cautivar al poeta de *Veinte poemas de amor*, libro que en esencia es una confesión. Finalmente el tema del amor, tan frecuente en la poesía del autor de *El jardinero*, tratado con la sinceridad de una plática de enamorados y con una esbeltez lírica que enamora, seguramente subyugaron a Neruda que escribe su propio poema de amor. Además del mencionado poema 16, que, siendo como es, una paráfrasis del poema 30 de *El jardinero* de Tagore, constituye una muestra de afinidad y de estrecha cercanía, pueden percibirse otras resonancias de Tagore en *Veinte poemas de amor*. El tono dialogal de Tagore y la dádiva siempre generosa a flor de labio, resuenan en estos versos del poema 14 de *Veinte poemas*:

> Te traeré de las montañas flores alegres, copihues,
> avellanas oscuras, cestas silvestres de besos.
> Quiero hacer contigo
> lo que la primavera hace con los cerezos.[86]

Otros acordes de tenor tagoriano pueden encontrarse en los *Veinte poemas;* no podemos, por ejemplo, dejar de recordar a Tagore cuando leemos en el poema 2 de Neruda:

> Muda, mi amiga,
> sola en lo solitario de esta hora de muertes . . .

Junto a esta adyacencia del poeta de *Veinte poemas* con el autor de *La cosecha* hay marcadas diferencias, sin las cuales no se explicaría la originalidad del primero. La sensualidad recatada de Tagore, casi espiritual, se transforma en Neruda en voluptuosidad derramada sin reticencias. En Tagore el amor, aún cuando hace participar a los sentidos de su borrachera, navega más bien sobre una comunión espiritual trenzada y en armonía con lo sensual. Las aguas del amor de Neruda son "los vasos del pecho", "las rosas del pubis", "muslos blancos", "cintura de niebla", brazos de piedra transparente", "besos alegres como brasas", "senos como caracoles blancos", "los senos perfumados", "besados miembros", "la carne", "el acto"; y si por momentos el amor es vertido en un vaso de espiritualidad, este se rompe cuando nos dice:

Ya no la quiero, es cierto, pero cuánto la quise . . .
De otro. Será de otro. Como antes de mis besos.

Walt Whitman

Rubén Darío había difundido en *Los raros* la obra de Walt Whitman, pero aún antes José Martí dió a conocer su nombre en una jugosa crónica en 1887. El poeta norteamericano había iniciado una poesía nueva, insuflada con la vitalidad del Nuevo Continente. El poeta uruguayo Alvaro Armando Vasseur traduce al castellano los primeros poemas de Walt Whitman en 1912 y en el prólogo al libro subraya, ya entonces, la poderosa influencia ejercida por el norteamericano en la poesía universal:

La influencia de Walt Whitman es ya universal. Traducida al italiano, al alemán, al francés, al castellano, sus imágenes y sus cópulas de adjetivos conservan el relieve primitivo. El versolibrismo moderno es uno de los tantos efectos de su obra.

Maeterlinck y Verhaeren en Bélgica; Rapisardi, D'Annunzio, los futuristas en Italia; Laforgue, Vile Griffin y los "poetas sociales" en Francia; Miers, Rosetti, Carpentier en Inglaterra; Unamuno, y quizás Alomar en España; Darío y Lugones en América, le deben diversas y profundas sugestiones.[87]

Vasseur, poeta de linaje modernista, tradujo luego toda la

obra de Whitman, pero será su compatriota Sabat Ercasty, en la generación subsiguiente, quien capitalice las innovaciones y enseñanzas del poeta norteamericano. Federico de Onís nos dice de la poesía de Sabat:

> En forma libre, que tiene algo de versillo bíblico y del verso de Walt Whitman, canta a toda voz su exuberante optimismo vital y cósmico.[88]

En efecto: en la poesía de Sabat Ercasty pueden encontrarse no pocos de los recursos de estilo creados por Whitman y algunas otras plumas desprendidas de las alas líricas del norteamericano volando hacia lo cósmico. La influencia de Sabat Ercasty en Neruda se concentra especialmente en *El hondero entusiasta,* y es en este libro de su primera época donde aparecen con mayor claridad las aproximaciones con Walt Whitman; de aquí la dificultad para precisar los elementos que Neruda pudo haber absorbido directamente de Walt Whitman y aquellos asimilados solo a través de la poesía de Sabat Ercasty. En *Crepusculario* predominan los metros tradicionales, en *El hondero entusiasta,* en cambio, su segundo libro en orden cronológico, la métrica ha desaparecido y todos los poemas están escritos en verso libre y en estrofas irregulares que a veces cambian con las ediciones. ¿Quién ha sido decisivo en este cambio? ¿Sabat o Whitman? No lo sabemos. Señalemos que el verso libre no era por entonces atributo exclusivo de Sabat Ercasty; alentados por el ejemplo del portugués Eugenio de Castro (1869-1944) algunos modernistas lo habían ensayado, incluso el propio Darío, y el nombre de Ricardo Jaimes Freyre (1868-1933) está asociado con la introducción del verso libre en lengua castellana. Por otra parte, Pedro Prado ya había introducido el verso libre en Chile.

Concha Meléndez en su ensayo sobre Neruda[89] menciona una cita de Whitman que Neruda habría puesto a la entrada del poema 6 de *El hondero*:

Escribiré los poemas de mi cuerpo y de lo mortal, porque así tendré los poemas de mi Alma y lo Inmortal.

traducción de "And I will make the poems of my body and of mortality. For I think I shall then supply myself with the poems of my Soul and of Inmortality" del poema de Whitman "Paumanok" y que no aparece en las ediciones posteriores, pero que de cualquier manera revela el contacto directo de Neruda con Whitman en esta etapa de sus primeros libros. Neruda nos lo dirá más tarde en la oda que dedica a Walt Whitman en *Nuevas odas elementales*:

Yo no recuerdo
a que edad,
ni donde,
si en el gran Sur mojado
o en la costa
temible, bajo el breve
grito de las gaviotas,
toqué una mano y era
la mano de Walt Whitman:
pisé la tierra
con los piés desnudos,
anduve sobre el pasto,
sobre el firme rocío
de Walt Whitman.

Durante
mi juventud
toda
me acompañó esa mano,
ese rocío,
su firmeza de pino patriarca, su extensión de pradera,
y su misión de paz circulatoria.[90]

Leo Spitzer en su estudio "La enumeración caótica en la poesía moderna" señala a Walt Whitman como el iniciador en la poesía moderna de esos catálogos que él llama "enumeración caótica" y en los cuales, según su propia definición, "el mundo moderno aparece deshecho en una polvareda de cosas heterogéneas, que se integran, no obstante, en una visión grandiosa y majestuosa del Todo-Uno, acercando violentamente unas a otras las cosas más dispares, lo más exótico y lo más familiar, lo gigantesco y lo minúsculo, la naturaleza y los productos de la civilización humana".[91] He aquí un ejemplo del *Canto a mí mismo* de Whitman:

Soy de viejos y jóvenes, tanto del necio como del sabio . . .
Soy de la Nación de las muchas naciones, donde las
/más pequeñas valen tanto como las más grandes;
Tan pronto del sur como del norte . . .
Soy de todos los colores y castas, de todas las
/clases y religiones,
Labrador, mecánico, artista, señor, marinero, cuáquero,
Prisionero, rufián, camorrista, abogado, médico, sacerdote.

De esta manera "todas las cosas se democratizan con la democracia humana, se hacen autónomas y empiezan a arremolinarse en torno al hombre, mezclándose con las criaturas, con el hombre mismo, con sus herramientas, sus ideas y sus sentimientos, y hasta con sus palabras; en la lírica de Walt Whitman, la enumeración caótica es reflejo verbal de la civilización moderna, en que cosas y palabras han conquistado derechos "democráticos" extremos, capaces de llevar al caos".[92]

Y hablando de Neruda nos dice el mismo Leo Spitzer:

Es indudable que en la enumeración caótica de Neruda subsisten ciertas formas fundamentales heredadas de Whitman: el "todo" que resume las actividades desintegradoras, una enumeracin con "hay" anafórica, otra con "veo" y por todas partes la anáfora.[93] Pero mientras para Whitman la enumeración caótica es uno de los procedimientos más eficaces para hacer ver la perfección y unidad en el mundo caótico moderno,[94] Neruda nos presenta el esquema de Whitman, con la visión desengañada del caos total moderno, sin fe panteísta que lo ordene o unifique".[95]

Aclaremos que este período del uso de la enumeración caótica whitmaniana en la poesía de Neruda, usado para mostrar un mundo de materias desvencijadas, corresponde a la época de

Residencia en la Tierra; pero el uso de la "enumeración caótica" y de la anáfora rejuvenecida por Whitman se encuentran en la poesía de Neruda antes y después de *Residencia en la Tierra.* Antes, en *El hondero entusiasta,* más bien como un recurso estilístico de énfasis, sin connotaciones de caos:

> ¡He aquí mis brazos fieles! ¡He aquí mis manos ávidas!
> ¡He aquí la noche absorta! ¡Mi alma grita y desea!
> ¡He aquí los astros pálidos todos llenos de enigma!
> ¡He aquí mi sed que aulla sobre mi voz ya muerta!
> ¡He aquí los cauces locos que hacen girar mis hondas![96]

Y un comienzo de la técnica enumerativa pero aun dentro de lo homogéneo:

> Llénate de mí.
> Ansíame, agótame, viérteme, sacrifícame.
> Pídeme. Recógeme, contiéneme, ocúltame.[97]

El uso de la anáfora, en su doble función rítmica y enfática, reaparece en *Canto general* con marcada frecuencia y basta con abrir el libro al azar para encontrarla. En *España en el corazón* la "enumeración caótica" adquiere el carácter que Whitman le había conferido al catalogar los entes más heterogéneos para crear la sensación de unidad, enhebrando y reuniendo a todos los elementos de ese caos aparente en un todo; en la "Oda solar al Ejército del Pueblo" al enumerar los oficios más diversos de los trabajadores, los ha aunado en una sensación de pueblo marchando hacia la lucha:

> Fotógrafos, mineros, ferroviarios, hermanos
> del carbón y la piedra, parientes del martillo,
> bosque, fiesta de alegres disparos, adelante,
> guerrilleros, mayores, sargentos, comisarios políticos,
> aviadores del pueblo, combatientes nocturnos,
> combatientes marinos, adelante . . .[98]

Aquí, está más cerca Neruda de los temas de Walt Whitman, del canto cósmico de América con sus millones y su inconmensurable geografía. El acercamiento de Neruda hacia lo popular lo acerca también al civismo democrático whitmaniano. Asi la imagen de España será tejida con los nombres de 124 poblaciones; véase una muestra:

> Huélamo, Carrascosa,
> Alpedrete, Buitrago,
> Palencia, Arganda, Galve,
> Galapar, Villalba.
>
> Penarrubia, Cedrillas,
> Alcocer, Tamurejo
> Aguadulce, Pedrera,
> Fuente Palmera, Colmenar, Sepúlveda."

El desvencijamiento de *Residencia en la Tierra* ha encontrado, pues, un orden final; el caos parece espigarse en el todo whitmaniano. En *Canto general* aparece también la enumeración caótica buscando siempre una unidad. Así, por ejemplo, la multiplicación espacial y temporal, los límites infinitecimales de un continente se hacen todo en una palabra: América:

> Estoy, estoy rodeado
> por madreselva y páramo, por chacal y centella,
> por el encadenado perfume de las lilas;
> estoy, estoy rodeado
> por días, meses, aguas que sólo yo conozco,
> por uñas, peces, meses que sólo yo establezco,
> estoy, estoy rodeado
> por la delgada espuma combatiente
> del litoral poblado de campanas.[100]

Para mostrar su identificación con los destinos del pueblo y su adhesión total a la suerte de sus vidas, el poeta enumera nombres de personas que no sabemos quienes son, pero que Neruda al personificarse en ellos los ordena y les adjudica identidad:

> Yo soy también Ramírez, Muñoz, Pérez, Fernández.

91

Me llamo Alvarez, Núñez, Tapia, López, Contreras.
Soy pariente de todos los que mueren, soy pueblo.[101]

Es explicable que a medida que la poesía de Neruda se hace más social y cívica, encuentre más puntos de contacto con Walt Whitman. Cuando el poeta chileno escribe el *Canto general* —"Biblia de América" han llamado algunos al libro— podrá comprenderse que Pablo Neruda se acuerde de la "mística democrática" de Whitman y pida al poeta norteamericano su voz cósmica y desbordante para cantar la epopeya de América:

> Dame tu voz y el peso de tu pecho enterrado
> Walt Whitman, y las graves
> raíces de tu rostro
> para cantar estas reconstrucciones!
> Cantemos juntos lo que se levanta
> de todos los dolores, lo que surge
> del gran silencio, de la grave
> victoria . . .[102]

Otras lecturas

El poema "Pelleas y Melisanda" en *Crepusculario* nos indica la lectura de la tragedia del mismo nombre de Maurice Maeterlinck (1862-1949). Sin embargo, la lectura de Maeterlinck parece trascender de aquel drama, según algunos indicios que hemos encontrado en el mismo *Crepusculario*. En este primer poemario de Neruda la tristeza es uno de los temas dominantes; es, pues, natural que el joven Neruda encontrara afinidad con el Maeterlinck de *Invernaderos* (1889), que había dicho:

> La vie humaine est chose assez triste, qu'il est plus facile, qu'il est presque plus agréable de parler de ses tristesses que de rechercher ses consolations et de les faire valoir.[102]

Pero si la "Oración" de *Crepusculario* nos hace pensar en las varias "Oraciones" de *Invernaderos,* o las lilas desparramadas en el poemario de Neruda recuerdan aquellas de los poemas de Maeterlinck, difícilmente puede hablarse de influencia y por ello decir lectura será más apropiado.

Amado Alonso ha notado una coincidencia expresiva en el poema "Unidad" de *Residencia en la Tierra* con *El pájaro azul* de Maeterlinck;[103] se trata tan sólo de una imagen aislada cuyo valor nada probaría a no ser por la derivación a que la coincidencia conduce a Alonso:

> Como se recordará, en *El pájaro azul* se personifican también, con fantasía de amable jugueteo, el alma del pan, del vino, del fuego, del agua, de la luz, etc. . . .[104]

Observación ya de algún valor, si se tiene en cuenta la preferencia de Neruda a tratar y refugiarse en las cosas elementales y su tendencia a personificarlas, espiritualizándolas. La definición de "lectura" se confirma cuando pensamos que mientras en *Residencia en la Tierra* hay una visión de la realidad caótica y desarticulada, Maeterlinck permanece fiel a aquella idea de que "Il n'y a pas de désorde dans le monde, il n'y a pas de désordre que dans notre esprit. Tout est à sa place dans l'univers, tout est nécessaire, tout vient à son heure".[105]

Otras resonancias han sido señaladas en esta parte de la creación poética de Pablo Neruda, las cuales indicarían las lecturas que van formando al joven poeta; estos contactos no han sido demostrados y difícilmente pueden ser considerados en la categoría de afinidades. Los citamos a guisa de noticia informativa. Raúl Silva Castro encuentra que el citado poema "Pelleas y Melisanda" revela, amén de la presencia de la tragedia de Maeterlinck, la lectura del novelista noruego Knut Hamsun (1859-1952)[106] y en uno de sus últimos libros —*Panorama literario de Chile*— ha indicado la influencia de la poetisa francesa Marceline Desbordes-Valmore (1786-1859) en la primera época de la poesía de Neruda.[107] Angel Valbuena Briones[108] menciona la "marinería" de "Farewell" en relación con el poema "Granados en cielo azul" de *Pastorales* de Juan Ramón Jiménez (1881-1958) donde aparece el mismo motivo: "¡Vida de los marineros! /¡el hombre siempre en el mar!/y el corazón en el viento!"[109]

4. Concepción de la vida

Recorriendo en orden cronológico la producción poética de Pablo Neruda advertimos que toda su obra está engarzada por una unidad temática que constituye la espina dorsal de su poesía. Esta unidad está lejos de ser unicidad; por el contrario, su peculiaridad más sobresaliente es la diversidad de temas, pero esta diversidad no es anárquica ni fortuita, corresponde más bien a la accidentada evolución poética de Neruda. Atendiendo al carácter romántico de su poesía, es decir una poesía atenta siempre al oleaje de sus sentimientos y que jamás usa la máscara, el sueño o la evasión de su sensibilidad, podemos ayudarnos de los elementos biográficos que disponemos para estudiar el desarrollo y la maduración del arte de Neruda. Desde este punto de vista la conversión poética de Pablo Neruda con la publicación de *Tercera Residencia,* o más propiamente de *España en el corazón* (1937), puede facilitarnos la tarea de definir esta unidad poética que envuelve su obra. Al trazar este cerrado viraje en su poesía, Neruda puede asomarse, y así lo hace, a su obra anterior, y desde esta nueva perspectiva autocontemplarse con la sensación del adulto que ve su retrato de adolescente; apenas en la víspera del viraje y comentando sus poemas anteriores a *España en el corazón,* nos dice: "¡Cuántas cosas han sobrevenido desde entonces!"[110] Al iniciar un nuevo período en su poesía Pablo Neruda irá tomando conciencia del anterior a la luz de su nuevo credo: toda la poesía escrita anteriormente se transforma, de la noche a la mañana, en pasado, y el poeta puede auscultarla con esa objetividad médico-paciente o maestro-alumno; es claro que esta objetividad actúa dentro de una subjetividad, el trastrueque de valores —especialmente cuando los valores son radicalmente opuestos— lo llevará a despreciar y rechazar lo viejo, o para decirlo más claramente: medirá su vieja poesía con el metro de la nueva. Esta actitud reflexiva, casi siempre de autocrítica o evocación, es una constante en los libros que siguen a *España en el corazón*: el poeta combativo no puede avenirse con el poeta contemplativo y ensimismado. La querella entre el ayer metafísico y el hoy político se resuelve en poemas de auto-exégesis, en los cuales la nueva

actitud es explicada y la vieja es reprendida. A veces este auto-
medirse, este iluminar el pasado con la nueva luz encendida en
la conciencia, nos va descubriendo rincones apartados y recodos
distantes de sus primeros años: reexamina su infancia, pasea
por Temuco, retorna al muchacho de "dedos afilados", nos
cuenta de su vieja casa de madera fresca, de su padre, de su
primer viaje a Santiago. De esta manera reconstruye Neruda
en sus poemas tardíos el ambiente y las circunstancias de sus
primeros libros y para nosotros tienen, ahora, el valor de do-
cumentos para una mejor comprensión de su poesía. Lo biográfico nos interesa no para identificar este o aquel amor que
ha trascendido en sus poesías, sino más bien para determinar
la atmósfera en la cual vive el poeta y que al influir en su
sensibilidad se hace material poético en sus versos. Así, por
ejemplo, la soledad, que llena muchos de los poemas de
Crepusculario, es más que un tema literario para tejer un
poema, una vivencia que al agazaparse del poeta le deja el
dolor ácido de la experiencia vivida, sentida; de esta soledad
irá el poeta hilando su tristeza. ¿Por qué buscar consuelos
mezquinos, egoístas o bajos a la vida? ¿No es más agradable
hablar de sus tristezas, que Maeterlinck había ensalzado por
"nobles, grandes y llenas de un misterio irrecusable?"[111] Por
otro lado, cuando la tristeza nos llena el corazón, ¿puede
ningún consuelo soslayarla o disolverla. Si, el amor, cuando
es todavía una ilusión indecisa, insegura, ofrese al muchacho-
poeta de Temuco "una sombra", "una herida adorada", "una
luna indomable"; y por esta sombra trepará su soledad desnuda:

Yo deshojé las constelaciones, hiriéndome,
afilando los dedos en el tacto de estrellas,
hilando hebra por hebra la contextura helada
de un castillo sin puertas,
oh estrellados amores
cuyo jazmín detiene su transparencia en vano,
oh nubes que en el día del amor desembocan
como un sollozo entre las hierbas hostiles,
desnuda soledad amarrada a una sombra
a una herida adorada, a una luna indomable.[112]

Con el corazón mordido por la soledad y "el deseo levantando sus crueles tulipas" llega Ricardo Reyes a Santiago "impregnado de niebla y lluvia"; la ilusión del amor había "levantado los sueños" del joven poeta "como una levadura de panes tenebrosos".[113] "Venía espantado del ambiente montaraz de Temuco, pero en la capital era diferente; allí estaba la Universidad de Santiago, la vida literaria y amorosa, el cambio de vida . . ."[114] ¿Fue diferente Santiago de Temuco para el joven devorado por los sueños y transido de soledad? La respuesta no se deja esperar. La Universidad y los estudiantes sólo irritaron su soledad y, como en Temuco, otra vez la poesía lo defiende. ¿Cómo? Como "un castillo sin puertas". Entre paredes "reconcentradas" buscará "las gaviotas de un mar abandonado", "las ramas, las gotas y la luna que se habían perdido" y con estas sustancias teje sus versos, mientras entre tinieblas y naufragios siente que "la muerte del mundo cae sobre su vida":

Entre los estudiantes pasé sin comprender,
reconcentrando en mí las paredes, buscando
cada tarde en mi pobre poesía las ramas,
las gotas y la luna que se habían perdido.
Acudí al fondo de ella, sumergiéndome
cada tarde en sus aguas, agarrando impalpables
estímulos, gaviotas de un mar abandonado,
hasta cerrar los ojos y naufragar en medio
de mi propia sustancia.
          Fueron tinieblas, fueron
sólo escondidas, húmedas hojas de subsuelo?
De qué materia herida se desgranó la muerte
hasta tocar mis miembros, conducir mi sonrisa
y cavar en las calles un pozo desdichado?[115]

Pero Neruda tiene un apego vegetal a la vida, un apego doloroso a la vida que con cada día se va haciendo muerte en un existir y cesar de existir; está hambriento por vivir y esta hambre es el acicate para probar todas las realidades: "noches dolorosas", "paredes con interrogantes colgados", "el hollín y la venganza de las ciudades", "la cochinada gris de los suburbios", "la oficina que encorva las espaldas", "el jefe de ojos turbios", "prostíbulos", "las almas de las putas", "la carne doliente y machacada", "látigos y . . . muerte". Puede resultar paradójico que el poeta, apenas asomado a su juventud, haya visto tanta muerte; pero allí está la muerte, desde sus primeros poemas, nutriéndose de la vida, coexistiendo con los nacimientos, hormigueando bajo el "jergón malsano", corriendo "como la sangre bajo las venas". Amado Alonso ha señalado la posible lectura directa de Schopenhauer para explicar el concepto "del vivir como un constante morir" en la poesía de *Residencia en la Tierra*;[116] pero esta visión de la muerte viboreando entre los entes vivos y devorándolos, está presente ya en los primeros libros de Neruda. En *Crepusculario*, por ejemplo, en su poema "El estribillo del turco" dice:

> Que se te vaya la vida, hermano,
> no en lo divino sino en lo humano,
> no en las estrellas sino en tus manos.[117]

En "Maestranzas de noche":

> Y entre la noche negra —desesperadas—corren
> y sollozan las almas de los obreros muertos.[118]

En "Aromos rubios en los campos de Loncoche":

> Yo soy una palabra de este paisaje muerto[119]

Los versos de "Oración" citados por Alonso:

> de los que van hacia la muerte
> como la sangre por las venas.[120]

Y, finalmente, la muerte cayendo sobre el joven poeta de *Crepusculario*:

> Y la muerte del mundo cae sobre mi vida.[121]

Esta visión de la muerte adquirirá su formulación definitiva en *Residencia en la Tierra* pero está ya esbozada en *Crepusculario*.

Pero retornemos a la vida de Neruda en sus primeros años en Santiago; hablábamos de su apego a la vida y de su braceo denodado por alcanzar una orilla. Allí está, pues, el poeta participando del vaivén de estas aguas que a veces lo arrastran a lo lóbrego de los suburbios, a "barrios sin luz", a ciudades enhollinadas, a "casas donde se esconden los deseos detrás de las ventanas luminosas", a "puentes que mueren con los brazos abiertos", a "una tierra ya muerta como un inmenso cadáver", a "estrellas que no alumbran", a "trenes ululando como tigres" y que finalmente lo empujan hacia un "crepúsculo de cobre" para hacerlo caer de nuevo en la soledad donde había nacido:

> Salí a vivir: crecí endurecido
> fuí por los callejones miserables,
> sin compasión, cantando en las fronteras
> del delirio. Los muros se llenaron de rostros:
> ojos que no miraban la luz, aguas torcidas
> que iluminaban un crimen, patrimonios
> de solitario orgullo, cavidades
> llenas de corazones arrasados.
> Con ellos fuí: sólo en su coro
> mi corazón reconoció las soledades
> donde nació.[122]

En esta remembranza de los primeros años en Santiago que aparece en *Canto general*, Neruda ha resumido la atmósfera que acompaña a los poemas de *Crepusculario*, y más tarde, desde la escalera de una oda, nos explicará:

> Escribí, escribí sólo
> para no morirme.[123]

Cuando la soledad y la tristeza ahogaban a nuestro poeta, el amor es el leño que lo salva del naufragio. Amor sin empaques y sin galanteos, amor derramándose sobre la carne sedienta que se abre en "nácar soleado", en "un velero de rosas", en "leche ávida y firme", en "incendio" . . . Este amor que se pide con delirio en *El hondero entusiasta*:

> Ansíame, agótame, viérteme, sacrifícame.
> Pídeme. Recógeme, contiéneme, ocúltame.[124]

es alcanzado en *Veinte poemas de amor y una canción desesperada*:

> Aguas arriba, en medio de las olas externas,
> tu paralelo cuerpo se sujeta en mis brazos
> como un pez infinitamente pegado a mi alma
> rápido y lento en la energía subceleste.[125]

Este amor dura veinte poemas y después sonará la 'hora de partir". ¿Adónde? Todavía no nos lo dice. 25 años más tarde evocará Neruda desde las páginas de *Canto general* a aquella estudiante que inspirara el poemario:

> Oh tú, más dulce, más interminable
> que la dulzura, carnal enamorada
> entre las sombras: de otros días
> surges llenando de pesado polen
> tu copa, en la delicia.[126]

Y en el mismo poema que lleva el sugestivo título "La estudiante" traza la silueta de aquel amor que se deshace en las "redes del jazmín" para desaparecer repentinamente "cuando ha llegado al vértice más atrevido y frío", pues entonces "su corazón se cierra como una flor nocturna". Es un amor de ígnea intensidad pero que naufraga en el mar de la piel "suave como las uvas"; vive el estrépito y la fuerza incontenible de todas las mareas en aquellas aguas de "leche ávida y firme", y cuando se hace la calma, aquel amor exangüe, se ahoga irremisiblemente, sin que nada pueda salvarlo:

> Ese fue mi destino y en él viajó mi anhelo,
> y en él cayó mi anhelo, todo en tí fue naufragio.[127]

Veinte poemas es la realización de lo que el poeta de "Farewell" había solo anunciado en *Crepusculario*:

Fui tuyo, fuiste mía. ¿Qué más? Juntos hicimos
un recodo en la ruta donde el amor pasó.[128]

Los temas, pues, de la primera poesía de Neruda han nacido de la soledad, de la tristeza, cuyo diente le arranca gotas de dolor cuando no le deja rasguños de melancolía, y del amor, en el cual el poeta busca un refugio, una tangente para salir del círculo de realidades grises y abrumantes que lo aprisionan como "araña peluda" —así llamará a la soledad en la oda que le dedica, execrándola— entre "sus patas de camello con ventosas de serpiente submarina".[129]

Los temas: soledad y tristeza

Esbozado el manantial de cuya fuente aflora la soledad y la tristeza, veamos el trayecto que recorre cuando se hace reguero en su poesía.

Sus poemas "Morena, la besadora" y "Oración" son un intento de poetizar la vida aireada del lupanar; a través del primero nos llega la imagen de Morena en toda la voluptuosidad de sus desnudeces, descriptas sin amilanamientos ni recatos:

Uñas duras y doradas,
flores curvas y sensuales,
uñas duras y doradas.

Comba de vientre, escondida
y abierta como una fruta
o una herida.

Dulce rodilla desnuda
apretada en mis rodillas,
dulce rodilla desnuda.

Enredadera del pelo
entre la oferta redonda
de los senos.[130]

"Oración", en cambio, es una expresiós de simpatía y solidaridad humana hacia "aquellos que van desde la vida/rotas las manos doloridas/ en todas las zarzas ajenas;/ de los que en estas horas quietas,/no tienen madres ni poetas/para la pena". El será pues su poeta y cantará sus desmayos y sus muertes; sus quimeras se encantarán y descenderán "sobre las almas de las putas/de estas ciudades del dolor":

> . . . vuela mi espíritu intocado
> y va enredando en su camino
> el mal dolor, el agrio sino
> y desnudando la raigambre
> de las mujeres que lucharon
> y que cayeron
> y pecaron
> y murieron
> bajo los látigos del hambre.[131]

Más que poesía social, estos versos reflejan un desamparo que lo ha acercado a aquellas mujeres que en diferentes proporciones y naturaleza también lo padecen. ¿No es él mismo uno de aquellos que no tienen madre para la pena? En la última estrofa más que llorar el mal ajeno parece estar llorando el suyo propio. o tal vez el ajeno envolviéndolo hasta penetrarlo:

> Porque la frente en esta hora
> se dobla y la mirada llora
> saltando dolores y muros
> en esta hora en que las lilas
> sacuden sus hojas tranquilas
> para botar el polvo impuro.[132]

En el poema "Castillo maldito" la soledad aparece dibujada como una "ruta sin fin" y por ella camina el poeta con los "ojos rotos"; en la estrofa siguiente la soledad es "un castillo sin ventanas y sin puertas" y allí el poeta beberá los tragos de dolor que le entristecen el alma:

Alto de mi corazón en la explanada desierta
donde estoy crucificado como el dolor de un verso.
... Mi vida es un gran castillo sin ventana y sin puertas
y para que tú no llegues por esta senda,

                                    la tuerzo.[133]

Ya está el poeta crucificado en la soledad ("explanada desierta") y desde esta cruz nos describirá los padecimientos y
los tormentos de su "pasión". Su "pasión" es inconducente
—"No se hacia donde voy"— y su por qué incognoscible:

     Después . . . Pregunta a Dios por qué me dieron
     lo que me dieron y por qué después
     supe una soledad de tierra y cielo.[134]

Allí va el poeta, "en la noche inmensa, con sus llagas"; su
conocimiento del dolor, de su propio dolor, lo ha dotado de
una capacidad para percibir el dolor de los otros; cuando
encuentra "un ciego con una pandereta pobre que le estre-
mece sus manos crispadas" puede decirle:

     Yo pasé ayer y supe tu dolor,
     dolor que siendo yo quién lo ha sabido,
     es mucho mayor.[135]

¿Por qué nos dice que conoce el dolor de los ciegos? El
mismo es un ciego: la soledad ha nublado sus ojos hasta pri-
varlos de imágenes. ¿Qué valor tienen estos ojos videntes
que nada pueden ver, o que ven sólo lo que no merece ser
visto? Entonces propondrá al ciego de la pandereta:

     ¡Por tus ojos que nunca han mirado
     cambiara yo los míos que te ven![136]

¿Qué ven sus retinas para que el poeta quiera permutarlas
por las opacas de un ciego? Primero "un barrio sin luz" que
él nos describe:

Las ciudades —hollines y venganzas—
la cochinada gris de los suburbios,
la oficina que encorva la espalda,
el jefe de ojos turbios.

. . . Sangre de un arrebol sobre los cerros,
sangre sobre las calles y las plazas,
dolor de corazones rotos,
pobre de hastíos y de lágrimas.

Un río abraza el arrabal como una
mano helada que tienta en las tinieblas;
sobre sus aguas
se averguenzan de verse las estrellas.

Y las casas que esconden los deseos
detrás de las ventanas luminosas,
mientras afuera el viento
lleva un poco de barro a cada rosa.[137]

Visión lúgubre pero de fuerte realismo; lo feo no ha sido
mezquinado y no se han escatimado las palabras ásperas. Es
éste un paisaje construído con fealdades que ningún ojo mi-
raría con recreación, como encarnación de belleza, y el poeta
se pregunta: "Se va la poesía de las cosas/o no la puede
condensar mi vida?" Sobre aquel crepúsculo que recorta la
silueta de tales fealdades, haciéndolas más tétricas, el poeta
se siente "un manchón de musgo entre las ruinas"; cerrará
el poema con una estrofa que ya rezuma en cada palabra toda
la tristeza que su alma ha absorbido como esponja:

. . . Y aquí estoy yo, brotando entre las ruinas,
mordiendo solo todas las tristezas,
como si el llanto fuera una semilla
y yo el único surco de la tierra.[138]

Ahora todo aparece teñido de tristeza. La tristeza, como ácido
corrosivo, va royendo todas las cosas y hasta aquellos objetos
que aparentemente viven dentro de una frialdad metálica,

mudos y sordos a los dolores del poeta, participan ahora de este dolor y se van cubriendo de tristezas o de angustia. Ahora llega el turno a los "puentes" que "como niño que muere a la llegada de su hermana/abren los brazos y esperan en la noche densa y larga . . ."

> ¿Qué voz de maldición pasiva y negra
> sobre vosotros extendió sus alas,
> para hacer que siguieran
> el viaje que no acaba
> los paisajes, la vida, el sol, la tierra,
> los trenes y las aguas,
> mientras la angustia inmóvil del acero
> se hunde más en la tierra y más la clava?[139]

Estos puentes malditos hunden su acero en la tierra y le inyectan una "angustia inmóvil"; el "fierro negro de la maestranza gime por cada poro un grito de desconsolación" y la muerte aflora en el paisaje; el poeta contemplándolo nos dice: "Yo soy una palabra de este paisaje muerto". Todas las cosas pues, se han asociado para dibujar el rostro de la tristeza que de poema en poema se torna más fiero; allí donde el poeta dirige su mirada, está la tristeza con un rictus más espantoso. Cambiando el sujeto "belleza" por "tristeza" podríamos repetir aquella célebre cuarteta de Miguel Angel y obtener una imagen de este momento de la poesía de Neruda:

> Dime oh Dios si mis ojos
> la fiel verdad de la "tristeza" miran,
> o si ella está en mis ojos
> y ellos la ven doquier que giran.

Estuviera donde estuviere, la tristeza nacida de la soledad es uno de los temas dominantes que corretea por la poesía de *Crepusculario;* en todos los objetos o sujetos que poetiza asoma la mirada amenazante de la tristeza y poco a poco va devorando la vida. Así, al describir aquellos jugadores que "juegan agachados, arrugados, decrépitos y pálidos, entre la vaga bruma del gas y el humo", concluye él mismo abrumado:

Y mirando estos hombres sé que la vida es triste.[140]

La tristeza, obsesión ya, aparece en otro poema bajo el nombre de "Saudade", pero ahora no devorando cosas o vidas, sino como una palabra cuya acepción le fascina; aquí puede captarse con claridad esa sensación de complacencia en la entrega a la tristeza, ese embotamiento que se recrea en el dolor dulce, que a veces le arranca la tristeza. ¿Debemos citar otra vez a Maeterlinck . . . ? Casi alucinado busca la palabra saudade "en los diccionarios y otros libros" y, mientras lo ocupa la búsqueda, va bordando su poema con lírica delicadeza y en el último verso la palabra le queda temblando en la boca.

En "Mi alma es un carrousel vacío en el crepúsculo" alcanzamos el punto más alto de esta soledad y su hija la tristeza; a la hora en que "se muere el universo de una calma agonía/la Tierra es una fruta negra que el cielo muerde", todas las cosas se han ido vaciando hasta exhalar el último estertor y el poeta es una mancha de tristeza que las contempla impasible, viéndolas morir impávido, en medio de "una soledad que lo lleva hacia el fin de la tierra como el viento a las nuves"; "los dolores le caen todos/como al camino caen todas las hojas muertas". La tierra muerta aparece como "un inmenso cadáver" y el poeta va saliendo de su impavidez y nos confiesa:

Tengo miedo. La tarde es gris y la tristeza
del cielo se abre como una boca de muerto.
Tiene mi corazón un llanto de princesa
olvidado en el fondo de un palacio desierto.[141]

Véase como el tema de la soledad se repite, como en una sinfonía, en nuevas y sugestivas variaciones: "ruta sin fin", "explanada desierta", "castillo sin ventanas y sin puertas", "soledad de tierra y cielo", "un barrio sin luz", "paisaje muerto", "fuente lejana", "carrousel vacío", "gruta de recuerdos" y ahora: "princesa olvidada en el fondo de un palacio desierto". Todo este mundo que agoniza, este mundo de muerte crepuscular cae sobre el poeta que también agoniza de soledad:

Y la muerte del mundo cae sobre mi vida[142]

El dolor de la soledad aparece también en *El hondero entusiasta,* aunque aquí con menor intensidad; sentimos el interés del poeta en transformar la soledad en materia poética y por eso pierde en espontaneidad y fuerza lírica. Los versos de *El hondero* no tienen el cuidado y la elaboración puestas en *Crepusculario,* y esta sensación trasciende a sus versos que salen agolpados, a veces chocando unos contra otros. Sin ser el tema principal del poemario, la soledad se escurre por algunos de sus versos:

solo, en la cima de los montes,
solo, como el primer muerto
rodando enloquecido, presa del cielo oscuro
que mira inmensamente, como el mar en los puertos.[143]

También el tenor de la voz ha cambiado; la intimidad de *Crepusculario* en *El hondero* se torna declamatoria; proclama su dolor y más que sensaciones nos llegan anuncios:

Todo de sueños vastos caídos gota a gota.
Todo de furias y olas y mareas vencidas.
Ah, mi dolor, amigos, ya no cabe en mi vida.
¡Y en él cimbro las hondas que van volteando estrellas!
¡Y de él suben mis piedras en la noche enemiga![144]

Podemos creerle a Neruda que el libro fue escrito en una noche cuando tenía dieciocho años.

El amor

Hemos visto ya que el amor será un camino para salir de la soledad. Hemos dicho, asimismo, que en la poesía de Neruda el amor aparece sin remilgos románticos. Ampliemos la imagen. En *Crepusculario* hay un buen número de poemas de amor. En "Farewell" se proclama un amor de marineros "que besan y se van"; es decir un amor que huye de lo permanente y se complace en un constante echar y levantar ancla. Esta concepción del amor sin compromisos a largo plazo está expresada en sus detalles en el poema "Grita"; no quiere el poeta ver en el amor la superación de la tristeza que lo oprime, quiere sentir a la soledad apretándole la garganta hasta ahogarlo: esa soledad representa la cantera de su verso:

> Amor, llegado que hayas a mi fuente lejana,
> cuida de no morderme con tu voz de ilusión;
> que mi dolor oscuro no se muera en tus alas,
> que en tu garganta de oro no se ahogue.[145]

Sorprende la susceptibilidad del joven poeta para rechazar todo amor que pueda embarcarlo en una ilusión, que pueda hacerlo olvidar los estragos de la soledad; por el contrario, exige del amor "ser el dolor que retiembla y que sufre, ser la angustia que se retuerce y grita", y le pide:

> No me des el olvido.
> No me des la ilusión.[146]

También aparece el anhelo de un amor que se realizará totalmente en *Veinte poemas de amor;* un amor que se embeleza en lo físico y quiere sumergirse en la carne hasta sentir en las venas sus palpitaciones:

> Mujer, yo hubiera sido tu hijo, por beberte
> la leche de los senos como de un manantial,
> por mirarte y sentirte a mi lado y tenerte
> en la risa de oro y en la voz de cristal.[147]

En este poema —"Amor"— hace ya votos por un amor desorbitado y nos promete esa avidez insaciable que recorre los *Veinte poemas*:

> . . . Cómo sabría amarte, mujer, como sabría
> amarte, amarte, como nadie supo jamás.

Morir y todavía
amarte más.
amarte más.[148]

En *El hondero entusiasta* el deseo aparece mezclado con el dolor; pero este dolor más que de ninguna soledad parece provenir de la insatisfacción del deseo. Cada vez que el poeta lanza la palabra "dolor" o "lloro" o "sufro" o "grito" o "clamo", enseguida le acopla la palabra "deseo" que recorre su primer poema como tema dominante:

> Quiero abrir en los muros una puerta. Eso quiero.
> Eso deseo. Clamo. Grito. Lloro. Deseo.

O bien:

> Sufro, sufro y deseo. Deseo, sufro y canto

para concluir:

> Soy el más doloroso y el más débil. Deseo.
> Deseo, sufro, caigo. El viento inmenso azota.[149]

En los poemas que le siguen el poeta define más claramente la naturaleza de este deseo que lo devora:

> El que te llama desde las llanuras brotadas.
> Yo soy el que en la hora del amor te desea.[150]

El clamor se prolonga a lo largo de todo el breve poemario, y aquel primer deseo indefinido se ha exacerbado ahora hasta hacerse tempestad:

> Es la tempestad de mis sentidos
> doblegando la selva sensible de mis nervios.
> ¡Es la carne que grita con sus ardientes lenguas!
> ¡Es el incendio![151]

Este deseo afiebrado no necesita de la copa del amor para

ser vertido; prefiere quedarse en el deseo abrazador rechazando el amor:

> ¡Yo sólo te deseo, yo sólo te deseo!
> No es amor, es deseo que se agota y extingue . . .[152]

Anhela solo la satisfacción del deseo en su desborde vegetal, en el hervor de la sangre y la fiebre de la carne:

> ¡Déjame suelta las manos
> y el corazón, déjame libre!
> Deja que mis dedos corran
> por los caminos de tu cuerpo.
> La pasión —sangre, fuego, besos—
> me incendia a llamaradas trémulas.
> ¡Ay, tú no sabes lo que es esto![153]

Pero este deseo, a pesar de la vehemencia con que infla las velas, se quedará en la travesía, en una "loca sed", sin llegar a la fruta. En el penúltimo poema del libro —"Sed de ti que me acosa"— la palabra sed se repite con una obsesión rayana en morbidez:

> Sed de tí que me acosa en las noches hambrientas.
> Trémula mano roja que hasta tu vida se alza.
> Ebria sed, loca sed, sed de selva en sequía.
> Sed de metal ardiendo, sed de raíces ávidas.[154]

Y más adelante:

> Sed de tí, sed de tí, guirnalda atroz y dulce.
> Sed de tí que en las noches me muerde como un perro.[155]

Por eso podemos definir a *El hondero entusiasta*, desde el punto de vista del tema, como el poema de la sed y el deseo que aún no llegan a saciarse; el deseo se queda en la sed, "la mano roja" en los manoteos, sin alcanzar el agua ansiada para apagar el incendio. Como el convaleciente abrasado por la fiebre, que solo tiene palabras para su dolor —quejas o delirios—, el hondero al quedarse en la calentura del deseo no encontrará palabras para la exquisitez del amor o del deseo satisfecho; con tono de reconocimiento dirá en el último poema que cierra el libro:

¡Es cierto, amada mía, hermana mía, es cierto!
¡Como las bestias grises que en los potreros pastan
y en los potreros se aman, como las bestias grises![156]

Veinte poemas es el amor realizado, "la fruta mordida". Es el amor que corre entre "blancas colinas", "muslos blancos", y cuando alcanza su desembocadura pareciera que todas sus aguas se agotaran y el cauce seco no tuviera ya nada que ofrecer:

Cuando he llegado al vértice más atrevido y frío
Triste ternura mía, ¿qué te haces de repente?
mi corazón se cierra como una flor nocturna.[157]

En este punto nos parece tan acertada como oportuna la observación de Silva Castro cuando dice que "el poeta no ha buscado el amor para obtener de él una pálida satisfacción, un bienestar epidérmico y liviano. Al contrario; ha ido a su encuentro con el alma en tensión, ansioso de sufrir, de ver desgarradas sus ilusiones y de lamentar, en la lejanía, en la ruptura, en el olvido y en la saciedad, la experiencia renovada siempre".[158] El poeta ha ido hacia el amor en una absoluta actitud de entrega, huyendo de la soledad y la tristeza; antes "sólo palabras tristes poblaban su guarida oscura", pero ahora: "Todo lo llenas tú, todo lo llenas". Esas mismas palabras acostumbradas a la soledad y que solo tenían boca para la tristeza, ahora:

. . . se van tiñendo con tu amor mis palabras.
Todo lo ocupas tú, todo lo ocupas.

Pero aún "el viento de la angustia las suele arrastrar" y se escuchan otras voces en su voz dolorida, "huracanes de

110

sueños, llanto de viejas bocas, sangre de viejas súplicas",
por eso el verso se deshace en ruegos:

Amame compañera. No me abandones. Sígueme.
Sígueme, compañera, en esa ola de angustia.

Hay un momento en que el amor parece llenarlo todo, como
si el poeta hubiera alcanzado la plenitud del amor:

Como todas las cosas están llenas de mi alma
emerges de las cosas, llena del alma mía.
Mariposa de sueño, te pareces a mi alma,
y te pareces a la palabra melancolía.[19]

Identidad frizando la plenitud, pero siempre remando en un
mar de melancólica tristeza, por eso sus "redes son tristes"
y, a veces, sobre este "estanque en calma" caen pedradas de
angustia provocando sobresaltos:

Ay seguir el camino que se aleja de todo,
donde no esté atajando la angustia, la muerte, el invierno
con sus ojos abiertos entre el rocío.

Pero mientras esta boya de rosas le ofrece un asidero, a él
se aferrará el poeta con la fuerza del desesperado:

Ultima amarra, cruje en tí mi ansiedad última.
En mi tierra desierta eres la única rosa.

Pero en el poema 17 la presencia de la mujer amada "es
ajena, extraña al poeta como una cosa" y aquel amor tan
pródigo inicia su partida y se aleja; al final del poema esa
extrañez se hace pregunta: "¿Quién eres tú, quién eres?" Hay
una frialdad que prospera, pero, desbrozándola, continúa el
poeta recorriendo el camino del amor:

Te estoy amando aun entre cosas frías (poema 18)

Aún tiene fuerzas para "forcejear el hastío de los lentos

111

crepúsculos" y alcanzar la noche, allí encontrará la luna que le canta; y sin embargo ya se define un sentimiento:

Amo lo que no tengo. Estás tú tan distante (poema 18).

Y luego un reconocimiento:

Todo de tí me aleja, como del mediodía (poema 19)

que se hace explosión en el poema 20:

Qué importa que mi amor no pudiera guardarla.
La noche está estrellada y ella no está conmigo.

Finalmente viene la "Canción desesperada" donde las sombras ocupan el lugar del amor; había hecho "retroceder la muralla de sombra", pero perdido el amor:

Sobre mi corazón llueven frías corolas.
¡Oh sentina de escombros, feroz cueva de náufragos!

Luego vienen evocaciones de aquella historia de amor y la palabra "naufragio" es el péndulo que recorre todo el poema. Un último resumen del camino que había recorrido entre dos estaciones de la soledad:

Era la negra, negra soledad de las islas,
y allí, mujer de amor, me cogieron tus brazos.

Era la sed y el hambre, y tú fuiste la fruta.
Era el duelo y las ruinas, y tú fuiste el milagro.[160]

Otra vez entre los escombros de la soledad, entre las ruinas de la tristeza. Había llegado al amor por las "lianas húmedas" del deseo, "devorando con labios devorados"; muy pronto encontró el cabo, y en este extremo vacío lo esperaba de nuevo la boca desdentada de la vieja soledad, esta vez para tragarlo en "sus mármoles negros". Aquel amor se había

cortado porque, aún siendo como fue: un remanso, no tenía
la firmeza de ninguna construcción. ¿Cuánto puede durar el
encanto de una burbuja? La respuesta la encontramos en aquel
poema de *Canto general* donde se evoca a la dulce estudiante:

> Amor sin nada más, en el vacío
> de una burbuja, amor con calles muertas,
> amor, cuando murió toda la vida
> y nos dejó encendiendo los rincones.[161]

Otros temas

En *Crepusculario* aparecen otros temas aparte de los
citados; son temas de tono menor y que no se prolongan más
que en un poema: "una iglesia", "un pedazo de miseria",
"un viejo ciego", "una sensación de olor", a veces la sonrisa
de la alegría, "una playa del sur", "la trilla", "una campesina",
"un pueblo", en los cuales domina más bien la descripción
prescindiendo del tono lírico-personal; finalmente el poema
"Pelleas y Melisanda" que trata el tema del amor sublime,
espiritual, trágico: antítesis del amor nerudiano. Por último,
nos interesa señalar aquí que aquel mundo de materias desvencijadas de *Residencia en la Tierra*, donde todo se deshace
y desintegra, comienza a romperse ya en *Crepusculario,* de la
misma manera que la tristeza en esta primera poesía de
Neruda que se complace en la melancolía, se hará angustia
hermética en *Residencia en la Tierra.* En *Crepusculario* aparecen "manos rotas", "ojos rotos", "corazones rotos", "cuerda
rota del violín"; son visiones aisladas dentro de una realidad
aún firme, pero que junto a "las ruinas", "las noches negras",
"los cielos vacíos" y "los paisajes muertos" que también aparecen en el libro, constituyen insinuaciones de la ruptura y dis-
gregación totales que vendrán con *Residencia en la Tierra.*

NOTAS

1.—Pablo Neruda, *Obras completas*. Buenos Aires: Editorial Losada. 1962. p. 19.
2.—*Ibídem.*, p. 21.
3.—*Ibídem.*, p. 22.
4.—*Ibídem.*, p. 19.
5.—*Ibídem.*, p. 20.
6.—*Ibídem.*, p. 648.
7.—*Ibídem.*, p. 24.
8.—*Ibídem.*, p. 1035.
9.—*Ibídem.*, p. 133.
10.—*Ibídem.*, p. 648.
11.—*Ibídem.*, pp. 134-135.
12.—*Ibídem.*, p. 12.
13.—*Ibídem.*, p. 28.
14.—Cardona Peña Alfredo, "Pablo Neruda: Breve historia de sus libros", *Cuadernos americanos*, Sep. (1955). México. p. 259.
15.—*Ibídem.*
16.—Omel Márquez, "Charlas literarias con don Pedro Prado: Charla peripatética sobre Pablo Neruda", *Universidad*, 18 agosto 1928.
17.—Raúl Silva Castro. *Retratos literarios*, Santiago, Ercilla, 1932. p. 201.
18.—Pablo Neruda. *ob. cit.*, p. 651.
19.—Tomás Lago. "Allá por el año veintitantos . . .", *Pro Arte*, Santiago, julio de 1954.
20.—Alone (Hernán Díaz Arrieta). *Historia personal de la literatura china desde Alonso de Ercilla hasta Pablo Neruda*, Santiago, Zig-Zag, 1962, p. 297.
21.—Omel Márquez, *ob. cit.*
22.—Pablo Neruda, *ob. cit.* p. 1071.
23.—Arturo Torres Rioseco, *Mito y verdad de Pablo Neruda*, México, Asociación mexicana por la libertad de la cultura, 1958. pp. 44-45.
24.—Tomás Lago, *ob. cit.*
25.—Cardona Peña Alfredo, *ob. cit.*, p. 261.
26.—En el referido discurso dijo Lastarria entre otras cosas: "La literatura será la expresión de nuestra nacionalidad; la nacionalidad de una literatura consiste en que tenga una vida propia, en que sea peculiar del pueblo que la posee, conservando fielmente la estampa de su carácter, de ese carácter que reproducirá tanto mejor mientras sea más popular". En *Cuadernos americanos*, "Orígenes del romanticismo en Chile", Sep-Oct. 1947, No. 5, pp. 189-190.
27.—Latorre, Mariano, *La literatura de Chile*, Buenos Aires, Facultad de Filosofía y Letras de la Universidad de Bs. As.; Instituto de Cultura Latino-americana, 1941, vol. 4, p. 161.
28.—*Ibídem*, p. 163.
29.—Domingo Melfi, *Estudios de literatura chilena*, Santiago, Nascimiento, 1938. p. 72.
30.—Mariano Latorre, *ob. cit.*, p. 163.
31.—*Ibídem.*
32.—Raúl Silva Castro, *Rubén Darío a los veinte años*, Madrid, Gredos, 1956, p. 267.
33.—*Ibídem.*, p., 272.
34.— ....

35.—*Ibídem.*, p. 275.
36.—*Ibídem.*, pp. 276-277.
37.—*Ibídem.*, p. 277.
38.—Max Henríquez Ureña, *Breve historia del modernismo*, México, Fondo de Cultura, 1962. p. 360.
39.—Federico de Onís, *Antología de la poesía española e hispanoamericana*, New York, Las Américas, 1961. p. 639.
40.—*Ibídem.*, p. 637.
41.—Arturo Torres Rioseco, "Crepusculario", Santiago de Chile, 1923.
42.—Luis Enrique Delano, "Pablo Neruda: poet in arms", *Mainstream*, New York, 1947 Fall, pp. 424-439.
43.—Pablo Neruda, *ob. cit.*, p. 65.
44.—Arturo Aldunate Phillips, *El nuevo arte poético y Pablo Neruda*, Santiago, 1936. p. 29.
45.—*Ibídem.*
46.—Raúl Silva Castro, *Retratos Lierarios*, pp. 201-202.
47.—*Ibídem.*
48.—Pablo Neruda, *ob. cit.*, p. 72.
49.—*Ibídem.*
50.—M. Picón Salas, "Nueva poética de Pablo Neruda", *Repertorio Americano*, Costa Rica, 6 Dic. 1935.
51.—Enrique Anderson Ilmbert, *La literatura hispanoamericana*, México, Fondo de Cultura, 1962. vol. II, p. 71.
52.—Tomás Lago, *ob. cit.*
53.—Pablo Neruda, *ob. cit.*, p. 50.
54.—*Ibídem.*, p. 57.
55.—Cardona Peña A., *ob. cit.*, p. 261.
56.—*Ibídem.*, p. 263.
57.—Raúl Silva Castro, *ob. cit.*, p. 206.
58.—*Ibídem.*, p. 207.
59.—Pablo Neruda, *ob. cit.*, p. 63.
60.—*Ibídem.*, p. 77.
61.—Cardona Peña Alfredo, *ob. cit.*, p. 263.
62.—*Ibídem.*
63.—Pablo Neruda, *ob. cit.*, p. 80.
64.—*Ibídem.*, p. 77.
65.—*Ibídem.*, p. 78.
66.—*Ibídem.*, p. 79.
67.—*Ibídem.*
68.—*Ibídem.*, p. 81.
69.—*Ibídem.*, p. 82.
70.—*Ibídem.*, pp. 82-83.
71.—*Ibídem.*, p. 29.
72.—Cardona Peña Alfredo, *ob. cit.*, p. 262.
73.—Rubén Darío, *Poesías completas*, Madrid, Aguilar 1954. p. 764.
74.—Pablo Neruda, *ob. cit.*, p. 34.
75.—G. Castañeda Aragón, "Pablo Neruda habla para Colombia", *Repertorio Americano*, Agosto 9, 1941.
76.—Pablo Neruda, *Viajes*, Santiago, Nascimiento, 1951. pp. 12-13.
77.—Nicolás Guillén, "Evocación de Pablo Neruda", *El Espectador*, Bogotá, Abril 3, 1949.
78.—Pablo Neruda, *Obras completas*, p. 143.
79.—Cardona Peña Alfredo, *ob. cit.*, p. 269.
80.—Amado Alonso, *Poesía y estilo de Pablo Neruda*, Buenos Aires: Ed. Sudamericana, 1951. pp. 208-209.
81.—*Ibídem.*, p. 209.

82.—*Ibídem.*, p. 238.
83.—*Ibídem.*, p. 301.
84.—*Ibídem.*, p. 276.
85.—Pablo Neruda, *ob. cit.*, p. 88.
86.—*Ibídem.*, p. 87.
87.—Augusto Iglesias, *Gabriela Mistral y el modernismo en Chile,* Santiago: Ed. Universitaria, 1949. p. 74.
88.—Federico de Onís, *ob. cit.*, p. 783.
89.—Concha Meléndez, "Pablo Neruda en su extremo imperio", *Revista Hispánica Moderna,* New York, 1936, vol. III, pp .1-32.
90.—Pablo Neruda, *ob. cit.*, p. 1275.
91.—Leo Spitzer, *Linguistica e historia literaria.* Madrid: Gredos, 1961. p. 258.
92.—*Ibídem.*, p. 288.
93.—*Ibídem.*, p. 284.
94.—*Ibídem.*, p. 261.
95.—*Ibídem.*, p. 285.
96.—Pablo Neruda, *ob. cit.*, p. 146.
97.—*Ibídem.*, p. 154.
98.—*Ibídem.*, p. 274.
99.—*Ibídem.*, p. 259.
100.—*Ibídem.*, p. 489.
101.—*Ibídem.*, p. 531.
102.—*Ibídem.*, p. 540.
103.—Amado Alonso, *ob. cit.*, p. 230.
104.—*Ibídem.*
105.—Roger Bodart, *Maurice Maeterlinck (presentation).* France: Editions Pierre Seghers, 1962 en "Poéts d'aujourd'hui", 87. p. 30.
106.—Raúl Silva Castro, *Retratos literarios,* p. 203.
107.—Raúl Silva Castro, *Panorama literario de Chile.* Santiago: Ed: Universitaria, 1961. p. 110.
108.—Angel Valbuena Briones, *Literatura hispanoamericana.* Barcelona: Ed. Gustavo Gili, 1962. p. 435.
109.—Juan Ramón Jiménez, *Pastorales.* Madrid: Biblioteca Renacimiento, 1911. p. 85.
110.—Pablo Neruda, *ob. cit.*, p. 244.
111.—Roger Bodart, *ob. cit.*, p. 51.
112.—Pablo Neruda, *ob. cit.*, p. 649.
113.—*Ibídem.*
114.—Cardona Peña Alfredo, *ob. cit.*, pp. 259-260.
115.—Pablo Neruda, *ob. cit.*, p. 651
116.—Amado Alonso, *ob. cit.*, pp. 300-301.
117.—Pablo Neruda, *ob. cit.*, p. 39.
118.—*Ibídem.*, p. 48.
119.—*Ibídem.*, p. 49.
120.—*Ibídem.*, p. 38.
121.—*Ibídem.*, p. 59.
122.—*Ibídem.*, p. 651.
123.—*Ibídem.*, p. 984.
124.—*Ibídem.*, p. 154.
125.—*Ibídem.*, p. 83.
126.—*Ibídem.*, p. 652.
127.—*Ibídem.*, p. 94.
128.—*Ibídem.*, p. 43.
129.—*Ibídem.*, pp. 1095-1096.
130.—*Ibídem.*, pp. 36-37.
131.—*Ibídem.*, p. 38.
132.—*Ibídem.*, pp. 38-39.

133.—*Ibídem.*, p. 41.
134.—*Ibídem.*, p. 44.
135.—*Ibídem.*, p. 45.
136.—*Ibídem.*
137.—*Ibídem.*, p. 46.
138.—*Ibídem.*, p. 47.
139.—*Ibídem.*
140.—*Ibídem.*, p. 50.
141.—*Ibídem.*, p. 59.
142.—*Ibídem.*
143.—*Ibídem.*, p. 145.
144.—*Ibídem.*
145.—*Ibídem.*, p. 49.
146.—*Ibídem.*
147.—*Ibídem.*, p. 45.
148.—*Ibídem.*, p. 46.
149.—*Ibídem.*, p. 147.
150.—*Ibídem.*, p. 152.
151.—*Ibídem.*, p. 152.
152.—*Ibídem.*, p. 153.
153.—*Ibídem.*, p. 152.
154.—*Ibídem.*, p. 157.
155.—*Ibídem.*
156.—*Ibídem.*, p. 158.
157.—*Ibídem.*, p. 86.
158.—Raúl Silva Castro, *Retratos literarios*, p. 208.
159.—Pablo Neruda, *ob. cit.*, p. 87.
160.—*Ibídem.*, p. 94.
161.—*Ibídem.*, p. 652.

III. LA POESIA HERMETICA

Crucé entonces
los mares
en el horror del clima
que susurraba fiebre con los ríos,
rodeado de violentos
azafranes y dioses,
me perdí en el tumulto
de los tambores negros,
en las emanaciones
del crepúsculo,
me sepulté y entonces
escribí, escribí sólo
para no morirme.

....

ODA A LA ENVIDIA

1. Viajes al Asia y a España

En 1927 Pablo Neruda parte hacia Rangoon como Cónsul de Chile. Sale por el Pacífico y cruza el Atlántico visitando de paso Buenos Aires, Río de Janeiro y Lisboa. En Madrid se detiene algunos días y trata de publicar algunos de los poemas que más tarde formarán parte de *Residencia en la Tierra;* de esta escala nos cuenta el poeta:

> Cuando llegué a España por primera vez en 1927, era lo más importante en aquel momento *La Gaceta Literaria,* dirigida por el escritor fascista Giménez Caballero. Me encontré con Guillermo de Torre, que era el crítico literario de las tendencias modernas, y le mostré los primeros originales del primer volumen de *Residencia en la Tierra.* El leyó los primeros poemas y al final me dijo, con toda la franqueza del amigo, que "no veía ni entendía nada, y que no sabía lo que me proponía con ellos". Yo pensaba quedarme más tiempo. Entonces, viendo la impermeabilidad de este hombre, lo tomé como mal síntoma y me fuí a Francia, embarcándome poco después en Marsella con destino a la India.[1]

De 1928 hasta noviembre de 1929 es Cónsul en Colombo —Ceylán— y desde 1930 Cónsul en Batavia —Java— y en Singapur. En 1932 regresa a Chile. Durante estos cinco años en el Oriente el poeta visita las más apartadas ciudades: Port Said, Djibouti, Shangai, Tokio, Saigon, Madras, Khandy, Penang, Bangkok. ¿Qué sabemos de este período de la vida de Neruda? Son años de reconcentrada soledad en el Medio y Lejano Oriente; en su conferencia "Viaje por las costas del mundo" nos revela el poeta algunos detalles de aquellos años en el Asia. No hay en ellos dramatismo ni acción, es más bien un pesado transcurrir del tiempo entre pagodas, talismanes, templos, efigies, máscaras de yeso y . . . "millares que cubren la tierra infinita". El poeta camina por calles de aldeas aplastadas —verdaderos "ríos de congoja"—, bordea "golfos pestilenciales" y en las embarcaciones ve "millares de pobres apretados"; entra en los templos y en las gradas de estuco y pedrería, encuentra "sangre y muerte sucias" y "los bestiales sacerdotes, ebrios de estupor ardiente"; cruza, luego, entre "grandes ídolos de pies fosfóricos estirando las lenguas vengativas".

Esta es la vida del poeta en aquellas lejanías "cuyos nombres de ortografía desconocida y difícil nunca interesaron a nadie"; "un mes, mil días, muchas semanas, muchas estaciones, en el golfo de Martabán, vagando por las orillas del río Irrawadhy en cuya boca está Rangoon, mirando la crecida, sucia y turbulenta, del río Salween; una tarde, un día, una noche en el remoto Sandokan; un día de lluvia en tren, en una tercera clase, a través de Thailandia, en la selva . . ."[2]

Pero vayamos por orden. De los días de Ceylán nos cuenta:

> Por aquellos mismos años me tocó vivir en Ceylán, junto a Colombo. Viví por largo tiempo solo en una costa despoblada, junto a la desembocadura de un río, a donde cada día venían a bañar por las mañanas y las tardes a los hermosos elefantes de la isla. Con mi perro paseábamos largas horas por la costa, pero el espectáculo de los elefantes sumergidos nunca dejó tranquilo a mi perro, que protestó sonoramente cuantas veces los encontró.[3]

En Ceylán vive, pues, en una casa solitaria de la costa y desde allí puede ver "un grupo de miles de islas ignoradas, que en los mapas aparece con el nombre de islas Maldivas"; desde su ventana puede observarse cada mañana "un gran velero casi clavado a la puerta de su casa. Casi todo el día mirábamos embelesados la forma fina de la embarcación misteriosa: traen un carnero, unas ramas de coral y un inmenso pescado tricolor para el rey que ya no existe, continuación de una antigua ofrenda de sumisión". De aquella casa vacía, "la casa de los perros hambrientos", nos contará la historia de "los paquetes de cartas" que encuentra en "el desorden de aquella casa, grande y oscura, que sólo yo y los perros habitábamos". Y luego nos describe su llegada a Java:

> Pasando a otra cosa, en el año 1930, a las once del día, un joven con cara de expedicionario entraba con gesto fatigado en una habitación de un hotel de una ciudad de Java. Joven aun, su rostro denotaba largos trayectos pasados a la intemperie. Su casco blanco no parecía recién comprado. Ya tenía conocimiento esa cabeza de otros climas y de otras latitudes.
>
> Comienzo así esta narración, en el lenguaje de 1900, pero, como me aburro, os contaré el terrible secreto y el enigma: ese viajero era yo, y estamos en Batavia, en la isla de Java. Tiritando de frío, me tendí en la cama, bajo la gasa. Había gastado ya todos mis pañuelos a causa de una hemorragia nasal y me sentía morir de cansancio y de fiebre, desorientado y solo.[4]

Viene luego la "historia de la tinta", detalle que en su insignificancia refleja, sin embargo, el aislamiento de Neruda agudizado por las barreras del idioma: ¿quién podría saber que en malayo la tinta se llama tinta?

Sus días en Rangoon se hacen verso en "Yo soy" de *Canto general*, poema que puede considerarse una autobiografía lírica del poeta:

> Viví en Birmania, entre las cúpulas
> de metal poderoso, y la espesura
> donde el tigre quemaba sus anillos
> de oro sangriento. Desde mis ventanas
> en Dalhousie Street, el olor
> indefinible, musgo en las pagodas,
> perfumes y excrementos, polen, pólvora,
> de un mundo saturado por la humedad humana,
> subió hasta mí.

Las calles me llamaron
con sus innumerables movimientos
de telas de azafrán y escupos rojos,
junto al sucio oleaje del Irrawadhy, del
agua cuyo espesor, sangre y aceite,
venía descargando su linaje
desde las tierras altas cuyos dioses
por lo menos dormían rodeados por su barro.[5]

Y de la India:

India, no amé tu desgarrado traje,
tu desarmada población de harapos.
Por años fuí con ojos que querían
trepar los promontorios del desprecio,
entre ciudades como cera verde,
entre los talismanes, las pagodas
cuya pastelería sanguinaria
esparcía terribles aguijones.

-------------- ---

Entré a los templos, estuco y pedrería
hacen las gradas, sangre y muerte sucias,
y los bestiales sacerdotes, ebrios
del estupor ardiente, disputándose
monedas revolcadas en el suelo
mientras, oh pequeño ser humano,
los grandes ídolos de pies fosfóricos,
estiraban las lenguas vengativas
o sobre un falo de piedra escarlata
resbalaban las flores trituradas.[6]

De la India nos cuenta también su visita a Calcuta en diciembre de 1929; allí presenció el poeta el Congreso de toda la India para decidir la Independencia nacional y la lucha dramática entre Nehru y Gandhi. Nos relata los altibajos del Congreso y aquel anuncio trágico de Gandhi "que si se aprueba la moción contraria él dejará de comer hasta morirse".[7]

Otras impresiones e imágenes de estos años en el Asia aparecen a lo largo de toda su poesía; en el mismo poema

"Yo soy" encontramos a Neruda en la profundidad de Java, en un palacio iluminado entre sombras territoriales; el poeta pasa "entre arqueros verdes, adheridos a los muros", hasta entrar a la sala del trono: allí "está el monarca, apoplético cerdo, pavo impuro, cargado de cordones, constelado entre dos de sus amos holandeses". Pero . . .

. . . entraron de pronto
desde el fondo remoto del palacio
diez bailarinas lentas como un sueño
bajo las agua.
Cada pié se acercaba
de costado avanzando miel nocturna
como un pez de oro, y sus máscaras ocres
llevaban sobre el pelo de aceitada espesura
una corona fresca de azahares.
Hasta que se situaron
frente al sátrapa . . .[7]

Con una javanesa, hija de holandeses, se casa el poeta en la isla indonesa; casi treinta años más tarde, en el poema "Itinerarios" de *Estravagario* (1958), Neruda reseña sus viajes por el mundo y haciendo alusión a aquel casamiento pregunta:

¿Para qué me casé en Batavia?[8]

Y junto a este vuelco de sinceridad vienen otras reflexiones sardónicas vinculadas a esta época de su vida en el Asia:

Fuí caballero sin castillo,
improcedente pasajero,
persona sin ropa y sin oro,
idiota puro y errante.

¿Por qué viví en Rangoon de Birmania
la capital excrementicia
de mis navegantes dolores?

125

¿Por qué, por qué tantos caminos,
tantas ciudades hostiles?
¿Qué saqué de tantos mercados?
¿Cuál es la flor que yo buscaba?
¿Por qué me moví de mi silla
y me vestí de tempestuoso?"

Reminicencias de estos caminos emergen en varias de sus
Odas elementales, en "Oda a la pantera negra" evocará sus
días en Singapur: "la lluvia caliente cayendo sobre antiguos
muros blancos carcomidos por la humedad", "las calles inun-
dadas, la siesta bochornosa" y "de pronto una jaula en medio
de la calle" y en ella "dos imanes, dos electricidades enemigas,
dos ojos" y "una sombra de terciopelo y elástica pureza":

> La pantera
> pensando
> y palpitando
> era
> una
> reina
> en un cajón
> en medio
> de la calle
> miserable[10]

Una caja de té, ahora costurero envejecido, le recuerda el
país de los elefantes, las olas de otros mares, el monzón
sobre el Asia y "Ceylán desparramando sus olores como una
combatida cabéllera"; la evocación lo retrotrae al momento
vivencial bajo el cual fueron escritos muchos de los poemas
de *Residencia en la Tierra:*

> Caja de Té,
> como mi
> corazón
> trajiste
> letras,
> escalofríos,

126

ojos
que contemplaron
pétalos fabulosos
y también ay
olor perdido
a té, a jazmín, a sueños,
a primavera errante.[11]

Pero contrariamente a lo que podría pensarse no hay en
Residencia en la Tierra ninguna mención directa de aquel escenario exótico, y las alusiones son tan tenues que pasan in-
advertidas.[12]

Durante su largo viaje de regreso a Chile (75 días)
escribe algunos de los poemas de *Residencia en la Tierra*:
"Monzón de mayo", "El fantasma del buque de carga" y
"Tango del viudo".[13] En enero de 1933 publica *El hondero
entusiasta,* y en abril del mismo año la editorial Nascimiento
publica una tirada de lujo de cien ejemplares del primer volumen de *Residencia en la Tierra*[14] que reune los poemas escritos entre 1925 y 1931. En agosto de 1933 viaja a Buenos
Aires como Cónsul de Chile; aquí conoce a Federico García
Lorca que por entonces estaba de visita en Buenos Aires y
juntos leen en el Pen Club un discurso al alimón en memoria
de Rubén Darío. Al año siguiente Neruda es enviado a Barcelona, siempre como Cónsul de su país. De este segundo
viaje a España nos cuenta Neruda:

Cuando bajé del tren, estaba esperándome una sola
persona con un ramo de flores en la mano: era Federico.[15]

Lo mejor de la poesía española, si hacemos excepción de aquel
que lo llamó "gran mal poeta",[16] lo recibe, le ofrece su amistad y le rinde homenaje. Neruda nos dice:

Pocos poetas han sido tratados como yo en España.
Encontré una brillante fraternidad de talentos y un conocimiento pleno de mi obra. Tal vez lo más significativo
de todo haya sido que, habiéndose tratado de editar una
revista, quisieron que yo la dirigiera. Así salió *El caballo*

verde, impresa por Manolo Altolaguirre y dirigida por mí. El sexto número no alcanzó a venderse porque en el mes de julio de 1936 estallaba la guerra.[17]

En la revista *Caballo verde para la poesía* publicó Neruda su artículo "Sobre una poesía sin pureza", una de las pocas páginas críticas escritas por Neruda explicando su estética de aquel período. Aun antes, el 6 de diciembre de 1934 es presentado en la Universidad de Madrid por Federico García Lorca; auspician la conferencia-recital Rafael Alberti, Vicente Aleixandre, Manuel Altolaguirre, Luis Cernuda, Gerardo Diego, León Felipe, Federico García Lorca, Jorge Guillén, Pedro Salinas, Miguel Hernández, José A. Muñoz Rojas, Leopoldo y Juan Panero, Luis Rosales, Arturo Serrano Plaja, Luis Felipe Vivanco, y Neruda lee sus "Tres cantos materiales" que luego se editan en forma de un pequeño opúsculo con una nota-preámbulo de admiración y homenaje, firmada por los poetas ya mencionados. Hay otros nombres de poetas y pintores que cierran este círculo, ¡y qué círculo!, que lo recibe entrañablemente: José Herrera Petere, Concha Méndez, José Bergamín, Rodríguez Luna, Miguel Prieto y otros. En la "Oda a Federico García Lorca" ha dejado Neruda una reseña de este grupo de amigos:

Si pudiera llenar de hollín las alcaldías
y, sollozando, derribar relojes,
sería para ver cuando a tu casa
llega el verano con los labios rotos,

----

llego yo con Oliverio, Norah,
Vicente Aleixandre, Delia,
Maruca Malva, Marina, María Luisa y Larco,
la Rubia, Rafael, Ugarte,
Cotapos, Rafael Alberti,
Carlos, Bebé, Manolo Altolaguirre,
Molinari,
Rosales, Concha Méndez,
y otros que se olvidan.[18]

En el poema "A Rafael Alberti" de *Canto general* encontramos una silueta del Neruda de *Residencia en la Tierra;* aquí el poeta hermético está visto por el otro Neruda que en España se abre como una flor a la claridad:

Recordarás lo que yo traía: sueños despedazados
por implacable ácidos, permanencias
en aguas desterradas, en silencios
de donde las raíces amargas emergían
como palos quemados en el bosque.
¿Como puedo olvidar, Rafael, aquel tiempo?[19]

En un fuerte verano seco de Madrid, del Madrid anterior a la guerra, se encuentra Neruda por primera vez con Miguel Hernández; en aquellos días secos de Madrid llegaba Miguel Hernández a la casa de Neruda a conversar de sus recuerdos y sus futuros. Miguel Hernández . . .

. . . había recién dejado de ser pastor de cabras de Orihuela y venía todo perfumado por el azahar, por la tierra y por el estiércol. Se le derramaba la poesía como de las ubres demasiado llenas cae a gotas la leche. Me contaba que en las largas siestas de su pastoreo ponía el oído sobre el vientre de las cabras paridas y me decía como podía escucharse el rumor de la leche que llegaba a las tetas, y andando conmigo por las noches de Madrid, con una agilidad increíble, se subía a los árboles, pasando con rapidez de los troncos a las ramas, para silbar desde las hojas más altas, imitando para mí el canto del ruiseñor. Su rostro era el rostro de España. Cortado por la luz, arrugado como una sementera, con algo rotundo de pan y tierra. Sus ojos quemantes eran, dentro de esa superficie quemada y endurecida al viento, dos rayos de fuerza y de ternura.[20]

En febrero de 1935 Neruda es trasladado de Barcelona al Consulado de Chile en Madrid. Aquí tiene su casa, en Arguelles: un barrio de Madrid, "con campanas, con relojes, con árboles y desde allí se ve el rostro seco de Castilla como un océano de cuero". A su casa la llaman "la casa de las flores", porque por todas partes estallaban geranios: era una bella casa con perros y chiquillos:

> ¿Raúl te acuerdas?
> ¿Te acuerdas, Rafael?
> ¿Federico, te acuerdas
> debajo de la tierra,
> te acuerdas de mi casa con balcones en donde
> la luz de Junio ahogaba flores en tu boca?[21]

En esta casa se reunen sus amigos en "puras noches nerudianas" como lo recuerda Rafael Alberti en sus "Coplas de Juan Panadero"; ese mismo año —1935— *"Cruz y Raya"* publica los dos volúmenes de *Residencia en la Tierra* y el 18 de julio del año siguiente estalla la guerra.

2. Publicación de RESIDENCIA EN LA TIERRA y sus ecos

Los primeros poemas de *Residencia en la Tierra* fueron apareciendo en la prensa chilena antes de ser reunidos en libro. "Galope muerto" y "Serenata" fueron escritos todavía en 1925 y de estos poemas nos dice Neruda:

> Estos poemas me señalaron el dominio de mi personalidad. Con gran serenidad descubrí que llegaba a poseer un territorio indiscutiblemente mío.[22]

Debemos suponer que en 1927 ya tenía escritos una buena parte de los poemas del primer volumen puesto que, de paso por Madrid en aquel año, propuso su publicación a Guillermo de Torre. En Rangoon, Batavia, Colombo o Singapur escribirá la otra parte de los poemas que forman el primer polumen. Pero la publicación de este primer volumen es más accidentada de lo que deja suponer la cronología bibliográfica de las obras de Neruda. Al primer intento frustrado de publicación en 1927 siguieron otros, de los cuales Rafael Alberti ha dejado detallado testimonio. Reconstruyamos sucintamente la aventura editorial de *Residencia*.

Rafael Alberti fue el primero que trató de publicar en España *Residencia en la Tierra;* antes de conocer a Neruda personalmente conoció su poesía y se convirtió en uno de los entusiastas de *Residencia en la Tierra.* Neruda nos cuenta de la relación de Alberti hacia su poesía:

> Rafael Alberti se convirtió en el campeón de mi poesía y trató de editarla. No obstante ser Alberti un camarada desconocido, me escribía constantemente a Ceilán y fue mi representante legal para todos los asuntos editoriales.[23]

Alberti, por su parte, cuenta de sus primeros contactos con Neruda:

> Antes de conocer a Pablo ya lo conocía. Me escribió cartas desesperadas desde la Indonesia: a propósito de su libro —*Residencia en la Tierra*—, de su soledad y otras cosas. Por un amigo chileno, que luego se quitó la vida, yo poseía una copia de la que años más tarde iba a ser obra fundamental en la lengua castellana de estos últimos tiempos.[24]

En posesión de esta copia de la primera parte de *Residencia* intenta Rafael Alberti encontrar un editor que quiera publicarla; la lleva primero a la Compañía Iberoamericana de Publicaciones, editorial fuerte aunque ya entonces en inicial declive, pero a los pocos días los poemas le son devueltos casi con disgusto. Los entrega luego a la *Revista de Occidente,* pero luego de dormir allí algún tiempo los retira "violenta y tristemente, convencido de la burrología de ciertas ilustres personas y de su escasísima influencia entre los editores". Fracasada esta primera cruzada por la publicación de *Residencia,* Alberti inicia otra de difusión de la poesía de Neruda entre los poetas de su generación: recita los mejores poemas a García Lorca y sus numerosos amigos y los poetas más jóvenes también escuchan sus lecturas. El libro fue ganando reputación entre estos círculos selectos aunque estrechos por su número, y cuando pareció a Alberti "que la luz había madurado sobre *Residencia en la Tierra"*, se presentó una mañana a Pedro Salinas —"siempre bueno y generoso":

Es una verguenza, don Pedro, lo que sucede con este libro —le dije—. "Y ¿qué quiere que haga? De sobra sabe usted lo que los editores piensan de la poesía". —Pero usted puede conseguir que, ya que no el libro, se publique en la *Revista de Occidente* algunos de sus poemas.

Y fue Pedro Salinas quién rompiendo aquellos muros "occidentales" logró que apareciese en la inexpugnable revista de don José Ortega y Gasset una serie de poesías del gran libro de Pablo.[25]

Nos cuenta luego Rafael Alberti de su viaje a Francia, "pensionado por la Junta de Ampliación de Estudios" y de su renovado contacto con Neruda, quien le escribe "cartas angustiosas desde los azules más desvanecidos y lejanos del atlas", le pide un diccionario, le habla de sus apremios económicos y se disculpa por los posibles traspiés en la ortografía. Alberti reactiva su campaña por la publicación del libro y se encuentra con una poetisa argentina —Elvira de Alvear[26]— que se interesaba por él y, sobre todo, por la publicación de algunos de sus poemas en *Imán,* nueva revista que ella dirigía y cuyo primer número estaba componiéndose. El secretario de *Imán* era el musicólogo y novelista cubano Alejo Carpentier; con él se encuentra Alberti en un café de la Avenida Víctor Hugo y eligen una serie de poemas de *Residencia.* Finalmente, Alberti, atento a la mala situación económica de Neruda, consigue que Carpentier, autorizado por la rica poetisa del Río de la Plata, envíe un cable a Neruda anunciándole el inmediato giro de cinco mil francos; Neruda recibió en efecto el telegrama pero jamás los cinco mil francos. Luego viaja Rafael Alberti a Berlín y la correspondencia con Neruda se interrumpe y *Residencia en la Tierra* continúa siendo un manuscrito.[27]

Sólo cuando Neruda regresa a Chile la editorial Nascimiento publica una edición limitada del primer volumen de *Residencia en la Tierra* y dos años más tarde "Cruz y Raya" publica la edición completa de los dos volúmenes, cuando Neruda, "el poeta más cerca de la sangre que de la tinta", es bien conocido en España.

Ya hemos visto la opinión de Rafael Alberti sobre *Residencia en la Tierra* cuando aun era sólo un manuscrito en busca de un editor: "obra fundamental de la poesía en lengua castellana de estos últimos tiempos". Cuando el libro aparece, representa un acontecimiento literario no sólo para las letras chilenas sino para la poesía toda en lengua castellana. Rafael Alberti ya se había encargado de "pasear el libro por todo Madrid no dejando tertulia sin su lectura entusiasmada";[28] los mejores poetas jóvenes españoles ya lo conocen y cuando el libro se publica ellos son los primeros en escribir la crítica que desde los comienzos acompaña al libro, iluminándolo. Miguel Hernández, aquel "Miguel de España, fuego azul de toda la poesía", escribió en las páginas de *El Sol,* tres meses después de aparecido el libro, un artículo entusiasta analizando los temas y algunos aspectos de la forma de la poesía de *Residencia;* en sus primeras líneas decía:

> Necesito comunicar el entusiasmo que me altera desde que he leído *Residencia en la Tierra.* Ganas me dan de echarme puñados de arena en los ojos, de cogerme los dedos con las puertas, de trepar hasta la copa del pino más dificultoso y alto. Sería la mejor manera de expresar la borrascosa admiración que despierta en mí un poeta de este tamaño de gigante. Es un peligro para mí escribir sobre este libro, y me parece que no diré casi nada de lo mucho que siento. Temiendo escribo.[29]

Otro poeta español, de aquel grupo que recibió entrañablemente a Neruda a su llegada a España, Alberto Serrano Plaja, escribe en la *Revista de las Españas:*

> *Residencia en la Tierra,* sin entrar ahora en un análisis de fondo, anotando el hecho en lo que supongo su absoluta subjetividad, ha sido el libro más arrebatador que se ha producido líricamente en lengua española, después del *Romancero gitano* de nuestro Federico García

Lorca. *Residencia en la Tierra*, como el *Romancero gitano*, como ciertos libros de Juan Ramón Jiménez antes (el caso de Antonio Machado por un lado, y el de Alberti por el otro, son diferentes; habría que hablar de ellos con más espacio), son libros aparte, que marcan todo un momento poético, y que alcanzan por eso no ya una popularidad, sino una especie de penetración poética definitiva.[30]

Les Nouvelles Littéraires, comentando esta edición de *Residencia* algunos meses después de su aparición, publica una reseña de Marcel Brion de la cual entresacamos este párrafo de por sí elocuente:

> Cette poésie si neuve, si fraîche d'accents, et, en même temps, si chargée de significations, apparaît comme un des événements les plus importants dans la litterature hispano-américaine. Par la richesse de sa sensibilité poétique, par sa philosophie de la vie si singulière, par la beauté de l'instrument lyrique qui devient l'outil le plus varié et aussi le plus pur.[31]

En Hispanoamérica el eco no se dejó esperar; aparte de aquellos que pusieron el grito en el cielo, perplejos ante la audacia u ofendidos porque no encontraban un estribo de acceso al verso empinado y borrascoso de *Residencia,* aparecieron los más hábiles que paulatinamente fueron dando cuenta de las nuevas alturas que había alcanzado el verso de Neruda en el "escandaloso" libro. El mismo año de la edición de "Cruz y Raya" escribe el venezolano Mariano Picón Salas a propósito de *Residencia* y de la nueva poética de Neruda:

> En el poeta hispánico (Góngora, Lorca) suele prevalecer el elemento plástico en cuanto este concepto indica forma, color, contorno. Neruda nos conduce al encantamiento y embriaguez dionisíaca, a ese mundo que ya no piensa ni limita porque se sumerge en el torrente de la vida creadora. Neruda es el canto puro. La "inteligencia" de Valery (poeta puro) y el "instinto"

de Neruda parecen encontrarse en una final coincidencia lírica.[32]

El mexicano Genaro Estrada escribe en *Revista de Revistas,* un año antes de su muerte, sobre la poesía de *Residencia en la Tierra:*

> La poesía en poesía está aquí, sin concesiones; aquélla que se muestra en toda su desnudez compleja. Desde los sueños la poesía viene a habitar en la tierra. Como en Dalí, este Dalí en verso recoge del sueño sus materiales y aquí está, en plena corporeidad y el fuego de sus elementos, en el goce de la plástica pura, entregada al ejercicio de la alegría o al duro placer del llanto. En sus manos la poesía se transforma en cuerpos sólidos y las sustancias se volatilizan en poesía.[33]

El argentino Pablo Rojas Paz escribe una semblanza lírica de la nueva poesía de Neruda en la revista *Nosotros;* llama a la poesía de *Residencia* "una inundación lírica que todo lo tapa y todo lo arrastra: estatuas, árboles viejos, caballos de todos los colores, pianos, vestidos de novia, espadas, mesas, sillas, puertas arrancadas por el viento". Y luego nos dice:

> Pero hacer poesía de las pequeñas cosas de todos los días, de las desavenencias de lo cotidiano, imponer lirismo a lo prosaico, hacer eficaz lo cursi, volver dulce lo que es agrio, suavizar lo áspero, imponer belleza a lo desagradable, esa es misión de alto poeta. Neruda hace poesía con palabras. Los demás hacen poesía con gestos, con actitudes, con recuerdos, con sentimientos, con anécdotas, con la novia, con el alba, con la dulzura del ruiseñor, o la claridad del lago, es decir hacen poesía con escenario, dan gritos convenidos, con señales aprendidas, con clave, con luz especial. Pablo Neruda ha dado categoría poética a las malas palabras, a la música huraña de las cosas vulgares, al agrio gusto de los episodios nacionales.[34]

Y traigamos, finalmente, la voz del poeta y ensayista mexicano Octavio Paz:

La poesía de Pablo Neruda no fue jamás un poema, un hermoso poema, sino un fluir vivo, vencedor, apasionado hasta hundirse en el fondo de la materia sonora o silenciosa; un fluir espeso, impulso como una gran, confusa corriente trágica; semejante al parto de las mujeres, al fuego de los volcanes, al esperma del hombre; persistente como la sangre. Y este oscuro sentimiento (la experiencia innata) que convierte a los poetas en "recordadores", mucho mejor que en soñadores, se fue tornando amor, entrañable comunión con todos los objetos del mundo, que también padecen su actual forma terrestre. A este estado poético lo llamó Pablo *Residencia en la Tierra*.[35]

Pero el eco más autorizado y el más definitivo vino del gran filólogo y crítico español Amado Alonso. Alonso ha dedicado a *Residencia en la Tierra* uno de los mejores análisis estilísticos en lengua española sobre poeta alguno, tal como el libro ha sido conceptuado por Wellek y Warren en su *Teoría literaria*.[36] Aparecieron primero capítulos aislados en diversas revistas americanas y en 1940, cinco años después de la aparición de *Residencia,* la Editorial Losada publicó el libro completo. El estudio de Amado Alonso constituyó un acontecimiento literario definitivo para la evaluación de la poesía de Neruda y un aporte sustancial para la crítica literaria en general. En la segunda edición publicada en 1951 por la Editorial Sudamericana Alonso ha agregado un nuevo capítulo en el cual trata la "conversión poética de Pablo Neruda" a la luz del último libro publicado por Neruda a la sazón: *Tercera residencia*. Pero en lo esencial el libro de Alonso es un estudio de la poesía hermética de Neruda tal como el autor lo constata en su advertencia:

A los veintiún años, Pablo Neruda ostenta una sazón poética casi increíble para su edad. Su conciencia artística se hace excepcionalmente lúcida y se carga de voluntad de estilo. Y así, con *Residencia en la Tierra* inicia una extraña modalidad poética, cuya característica interna es el ímpetu de la emoción y el decisivo enfrentamiento del hombre ante su existencia, y la externa, el hermetismo de las expresiones. El presente libro se aplica al estudio de esta poesía hermética y solo atiende a la juvenil como un medio auxiliar.[37]

3. *Hacia una nueva modalidad estética: Tentativa del hombre infinito*

En el capítulo anterior dijimos que la novedad de *Veinte poemas de amor* residía más que en la forma en aquel entusiasmo desbordante por lo sensual que recorre todo el poemario. En la forma, Neruda había logrado relevantes aciertos que confirieron personalidad al pequeño volumen, originalidad, pero dentro de lo conocido y aceptado. Era todavía "arte figurativo": las imágines y metáforas se convenían para darnos volúmenes dentro de una línea, aunque esfumada, lo suficiente clara para dibujar figuras y presencias. No era difícil encontrar una identidad lógica a estas imágenes. Puntualizamos, asimismo, que a pesar de conocer entonces las nuevas tendencias en boga, Neruda usa las formas tradicionales por avenirse mejor éstas con el contenido de su poesía. El amor es una luna que ilumina el verso de Neruda. Pero al acercarnos a las últimas páginas de *Veinte poemas de amor* esta luna ha ido menguando y al final del libro desaparece. Vuelta a la soledad, a las sombras, al abandono y al final de "La canción desesperada" nos decía:

> Es la hora de partir, la dura y fría hora
> que la noche sujeta a todo horario.

Con su "corazón triste" parte, pues, el poeta hacia un viaje de noches, de sueños y de "soledad de tinieblas": esta es su *Tentativa del hombre infinito,* "el libro menos leído y menos estudiado de mi obra; sin embargo, es uno de los libros más importantes de mi poesía, enteramente diferente a los demás y del que se han hecho pocas ediciones", declara el poeta[38] Este libro, en efecto, es la primera ruptura de Neruda con las formas tradicionales; drásticamente desmantela todos los agarraderos de la puntuación y, consecuentemente, desaparece todo distingo entre mayúsculas y minúsculas. ¿Qué queda? La fantasía retozando desensillada y el sueño volando entre visiones fragmentadas. Hasta aquí la poesía de Neruda había resistido los embates de las nuevas tendencias de vanguardia que ya soplaban en toda la América hispana. El simbolismo de preguerra en Europa fue evolucionando a través de Mallarmé y Rimbaud hacia un hermetismo que alcanza los límites de lo ininteligible y lo impenetrable; cuando Paul Valery lo advierte, abre un tajo de luz en su poesía para que por él pueda entrar el lector.[39] Pero después de la guerra esta poesía de lo oscuro es un demiurgo que ya no puede ser detenido. Sí, "la inestabilidad de la civilización, el poder de la violencia política, el desprecio al hombre, el sentimiento del absurdo de la existencia y aun del mundo, el desengaño ante las pretensiones de seriedad del arte pasado produjeron una erupción de expresiones incoherentes".[40] Estas erupciones se llaman sucesivamente "expresionismo", "futurismo", "dadaísmo". superrealismo'; el subconsciente se transforma en el campo magnético de la poesía, "el poeta es la víctima, no el vencedor de su poesía" —dice el mexicano Octavio Paz.[41] "Tristán Tzara, Paul Eluard, André Breton, Louis Aragón, Paul Morand, Blaise Cendrars, Drieu la Rochelle, Valery Larband, Max Jacob fueron más conocidos en Hispanoamérica que los escritores afines de otras literaturas".[42] De estos movimientos literarios europeos el superrealismo fue el que más influencia ejerció en los poetas de su generación; André Bretón fue su vocero y divulgador y en el primer "Manifeste du Surréalisme" definió las nuevas técnicas de la nueva estética:

Automatismo psíquico puro por medio del cual nos proponemos expresar, sea verbalmente, sea por escrito, sea de cualquier otro modo, el funcionamiento real del pensamiento. Dictado del pensamiento, en ausencia de todo control ejercido por la razón, fuera de toda preocupación estética o moral.

El superrealismo descansa sobre la creencia en la realidad de ciertas formas de asociaciones descuidadas hasta ahora, en la omnipotencia del sueño, en el juego desinteresado del pensamiento. Tiende a demoler definitivamente todos los otros mecanismos psíquicos y a tomar su lugar en la resolución de los principales problemas de la vida.[43]

El desastre de la guerra demostró al superrealismo el fracaso de la razón, y en el abandono de ésta vieron el camino hacia un mundo distinto: el mundo del subconsciente que por esos años Freud había descubierto y a través del cual el hombre alcanzaría la liberación personal y social. A pesar de estas ambiciones filosóficas el superrealismo concluyó siendo sólo literatura, o más exactamente la técnica de una nueva literatura; sus métodos — escritura automática, expresión hipnótica, juegos verbales, poemas colectivos, libre asociación imagística y, más tarde, explotación de las simulaciones de la paranoia y otros estados psicopáticos— fueron luego abandonados en su aspecto de fanática experimentación, pero, como certeramente lo ha señalado Luis Monguió, "debe reconocerse que las posibilidades literarias derivadas de ellos —libre asociación, fluencia imagística, uso de lo onírico— penetraron tan profundamente en las maneras de la poesía moderna en general que, hasta cuando los poetas han olvidado la razón de su origen, no podrían explicarse muchas de sus posiciones si se prescindiera del superrealismo y de sus tentativas".[44]

El propio Neruda, cuando se le pregunta en 1943 que piensa del superrealismo, nos dice:

Quiero decir que respeto mucho de su primitiva poesía y de sus descubrimientos, pero que este movimiento ha sido tan manipulado, llevado, traído y "goguennizado" que cualquier persona honrada siente verguenza de la compañía de estos espectros de la ante-guerra.[45]

Es evidente que la poesía de *Tentativa del hombre infinito* sale de los moldes y formas tradicionales por la puerta del

superrealismo; "lector ensimismado de la poesía francesa,
cuyos autores estudiaba con lupa en la Universidad",[46] Neruda
encontró en los procedimientos y recursos que le ofrecía la
técnica superrealista un camino para su nueva poesía y para
sus aspiraciones de un canto más hondo.

Al final de "La canción desesperada" nos anunciaba su
partida, en *Tentativa del hombre infinito* encontramos al
poeta viajando:

embarcado en ese viaje nocturno
un hombre de veinte años sujeta una rienda frenética
es que él quería ir a la siga de la noche
entre sus manos ávidas el viento sobresalta[47]

Ya en este primer ejemplo puede apreciarse la técnica superrealista: las imágenes fluyen incontroladas y sin ninguna
preocupación por su significación lógica. *Tentativa* es un
viaje por la noche, un otear "la noche de esmeraldas y molinos"; desde esta atalaya las imágenes se van sucediendo
sin conformar ninguna estructura definida, son más bien
fragmentos, pero por más que los unamos y tratemos de encontrar un todo, ese todo será siempre un conjunto de fragmentos de la visión del poeta que tampoco se ha preocupado
por armar su colección de imágenes. A medida que las encuentra las presenta al lector en su natural anarquía:

cuando aproximo el cielo con las manos para despertar
        /completamente
sus húmedos terrones su red confusa de suelta
tus besos se pegan como caracoles a mi espalda
gira el año de los calendarios y salen del mundo los
        /días como hojas
cada vez cada vez al norte están las ciudades inconclusas
ahora el sur mojado encrucijada triste
en donde los peces movibles como tijeras
ah solo tu apareces en mi espacio en mi anillo
al lado de mi fotografía como la palabra está enfermo
detrás de tí pongo una familia desventajosa
radiante mía salto perteneciente hora de mi distracción

están encorvados tus parientes y tú con tranquilidad
te miras en una lágrima te secas los ojos donde estuve
está lloviendo de repente mi puerta se va abrir.[48]

Es como si el poeta, hundiendo la mano en la fantasía de su
subconsciente, cogiera un puñado de imágenes y metáforas
y, arrojándolas sobre el papel, formara el poema respetando
el natural desorden con que han ido apareciendo. Muy preme-
ditadamente se ha dejado que estas aguas de la subconscien-
cia bajen directamente al papel sin pasar por el cedazo de la
conciencia; lo que se trata es de evitar que el alfilerazo de la
razón mate la intuición caliente y por eso se la deja volar,
como a una mariposa, de la imaginación derecho al poema.
El poeta es un otoño que deshoja su fantasía y deja librado
al azar el orden de caída de las hojas. Si es un sueño, no se
busca interpretarlo ni se permite a ninguna lógica su disección,
en eso consiste su valor: en su hermetismo, en su intraducible
poesía:

hay esto entre dos paredes a lo lejos
radiantes ruedas de piedras sostienen el día mientras
        /tanto
después de colgado en la horca del crepúsculo
pisa en los campanarios y en las mujeres de los pueblos
moviéndose en la orilla de mis redes
mujer querida en mi pecho tu cabeza cerrada
a grandes llamaradas el molino se revuelve
y caen las horas nocturnas como murciélagos del cielo[49]

El tiempo onírico es independiente del tiempo telúrico, del
tiempo ordinario de todos los hombres; el primero es caótico
e inconmensurable, el segundo está gobernado por ese sobe-
rano inexorable que es el reloj. Por eso cuando quiere referirse a este último especifica y dice:

amaneció sin embargo en los relojes de la tierra

El tiempo de *Tentativa* se acerca más al tiempo caótico de
los sueños; en él "las semanas están cerradas", es "un reloj

profundo" en el cual "la noche aisla horas", es un "cuadrado de tiempo completamente inmóvil"; nosotros diríamos un reloj parado, pero no es sólo el reloj lo que se ha detenido, es el tiempo todo. ¿A qué hora? Todo parece indicar que en las horas de la noche:

oh noche más en mi hora en mi hora furiosa y doliente

----

es que él quería ir a la siga de la noche

----

estrella retardada entre la noche gruesa los días de
/altas velas

----

oh noche huracán muerto resbala tu oscura lava

----

era cuando la noche bailaba entre sus redes
a tu árbol noche querida sube un niño

----

noche de paredes azules

----

no se hacer el canto de los días
sin querer suelto el canto la albanza de las noches

Quiere ya levantar anclas de este mar de sombras, pero la noche lo tiene atrapado, o mejor: es el anfitrión que no quiere desairar a su viajero y lo conduce y le muestra todos los vestíbulos de su casa de sombras:

siguiendo un reloj no amando la noche quiero que pase

Pero si el reloj se ha parado, habrá que darle cuerda para que ande y con las horas se vaya también la noche; pero, ¿y la llave? "La suya es una noche sin llaves" que lo envuelve con sus "fraguas negras" y sus "húmedas nieblas" y lo pasea por su geografía de "metales azules"; el poeta va caminando como 'sonámbulo de sangre (que) partía cada vez en busca del alba":

la noche de esmeraldas y molinos se da vueltas la noche
de esmeraldas y molinos
qué deseas ahora está sólo centinela
corrías a la orilla del país buscándolo
como el sonámbulo al borde del sueño[50]

Para el superrealismo los estados de vigilia, cuando la conciencia puede perturbar menos el libre fluir del subconsciente, son los más apropiados para el trabajo del poeta;
André Bretón recomendaba en el primer *Manifiesto del superrealismo* situarse en el mayor estado de pasividad o receptividad posible, hacer abstracción del genio y de los talentos,
escribir rápido y sin sujeto preconcebido, sin detenerse y sin
releer lo escrito y, para preservar esta continuidad del flúido
subconsciente, eliminar la puntuación.[51] Neruda nos muestra
en los versos precedentes un estado semejante de sonambu-
lismo al borde del sueño, bajo el cual parece fluir su poema.

Por la 'noche sin llaves" va el poeta noctámbulo, reco-
giendo las visiones que la hora de sombras le participa; de
la ciudad vista desde los cerros nos dice: "hogueras pálidas
revolviéndose, como una lancha al muelle lista para zarpar
lo creo antes del alba". Sobre el fondo de la noche la ciudad
es "una mancha amarilla" y cuando el poeta ve la luna, no
nos explica nada y nos dice solamente: "azul araña trepa
inunda". Y mientras el noctívago avanza en su excursión
por la noche, el poema se construye como una sucesión de
imágenes inconexas vistas desde la ventana de un tren que
cruza sobre su "riel frío", las "vertebras de la noche": "mato-
rrales crespos", "vacíos malecones", 'espigón de metales",
"maleza mecedora de los pájaros", "el viento latigando",
"los planetas dan vueltas como husos entusiastas giran", "los
silencios campesinos claveteados de estrellas".

Ejemplo acabado de la técnica superrealista es un poema
en el cual el poeta registra, con el automatismo de un aparato
cardiográfico, todas las impresiones que le llegan de su subconsciente; la conciencia pareciera estar bajo un estado de
hipnosis, imposibilitada de ejercer ningún control; los verbos
en presente —veo, sigo, oigo, tengo, estoy— reflejan la voluntad de no interceptar la receptividad del flúido subcons-

ciente. El poeta sólo anota la corriente de imágenes que le llegan, coadyuva a que el subconsciente se proyecte libremente:

veo una abeja rondando no existe esta abeja ahora
pequeña mosca con patas lacres mientras golpea cada
/vez tu vuelo
inclino la cabeza desvalidamente
sigo un cordón que marca siquiera una presencia una
    situación cualquiera
oigo adornarse el silencio con olas sucesivas
revuelven vuelven ecos aturdidos entonces canto en
/alta voz
----
veo dirigirse el viento con un propósito seguro
como una flor que debe perfumar
abro el otoño taciturno visito la situación de los
/naufragios
----
el día es de fuego y se apuntala en sus colores
el mar lleno de trapos verdes sus salivas murmullan
/soy el mar
----
veo llenarse de caracoles las paredes como orillas de
/buque
pego la cara a ellas absorto profundamente[52]

Ya puede verse que *Tentativa del hombre infinito* fue escrito según todos los cánones de la estética superrealista; es una tentativa· por alcanzar a través del 'corto-circuito" del que hablaba Bretón, es decir a través de un conductor de resistencia nula o muy débil, esa "realidad superior" por la que abogaba el superrealismo. *Tentativa* se escribe en una época en que el superrealismo estaba alcanzando su auge en toda Europa y era la estética dominante del arte contemporáneo. Los parnasianos habían predicado "la musique avant tout"; los superrealistas identificaron a la poesía con el sueño y proclamaron el automatismo verbal como único acceso para alcanzar "le rêve", "forma superior de la realidad"; puesto

144

que "nuestra vida interior, consciente e inconsciente, se hace a partir de las palabras" los superrealistas procuraron que estas palabras reveladoras sean el único y verdadero contenido del poema, sin fricciones o especulaciones de la conciencia o la razón. Así, la ambición de Rimbaud de "recréer le monde par l'invention d'un noveau langage" se hizo cuerpo y realidad en la práctica del superrealismo y de su aspiración por alcanzar el lenguaje de los sueños: genuinos reveladores del espíritu y del ser absoluto. Si Neruda, después de *Veinte poemas*, buscaba un camino para alcanzar el "hombre infinito", una realidad superior que trascendiera los límites de la retina, de lo gastado y domesticado, el superrealismo le ofreció este camino y en *Tentativa* ensayó las recetas o, como decía André Bretón, "los secretos del arte mágico superrealista" y se lanzó a la caza de los sueños. El resultado: un pequeño poemario de imágenes y metáforas desarticuladas que adolecen de los males que aqueja a todo el arte superrealista: el sueño es una creación automática, pero el arte es una creación activa; los poetas superrealistas, al confiar al automatismo verbal la creación del poema, llevaron la poesía a un caos que lo expresaba todo y no expresaba nada. ¿Era, tal vez, este estado caótico de la conciencia de postguerra lo que los superrealistas habían querido expresar? Sin embargo, de la misma manera que la poesía no era la música, como querían los simbolistas, no tardaron algunos poetas superrealistas en comprender que el sueño no podía venir en reemplazo del poema. Valery advirtió sobre los peligros de esquematización y grosería aparejados en ese prurito de escribir los sueños; Paul Eluard distinguió las diferencias de naturaleza entre el sueño y el poema.[53] El sueño tiene su órbita de acción en los límites del subconsciente y sólo dentro de esta jaula pueden vivir sus imágenes y sus monstruos; el poema es una configuración objetiva que no se pierde ni se cambia. El sueño es automático; el poema es un esfuerzo creador por encontrar la expresión adecuada a la intuición poética; este esfuerzo depende de la voluntad del poeta y es consciente aunque conjura a la fantasía y a la imaginación. El material del sueño son las imágenes oníricas; el material del poema son las palabras.

Pero en *Tentativa del hombre infinito* hay algo más que la noche y los sueños; por entre el caos de imágenes hay una tristeza que ya conocemos y que se va abriendo paso a través de esta bataola de metáforas sin remitente. Es aquella tristeza nacida de la soledad, presente en *Crepusculario* y en *El hondero*, que no ha abandonado al poeta. Esta tristeza palpita también en *Tentativa*: en su viaje por la noche, "por la noche que no pasa", va el poeta con su tristeza a cuestas mordiéndole el corazón. En los primeros poemas, entre sombra y sombra, nos dice: "mi corazón está triste", y sigue caminando entre un desfile de visiones nocturnas para luego explicarnos:

soledad de tinieblas difíciles mi alma hambrienta tropieza

Luego esta soledad se hace túnel y "la noche es un vino que invade el túnel"; el poeta sigue su viaje entre "los animales del sueño" y el "animal de la noche" (coincidencia de poetas: Rilke dice "animales de la tristeza" en su poema "Elegías de Duino") y entre ellos prorrumpe con intermitencias el fantasma de la soledad:

entre sombra y sombra destino de naufragio
nada tengo oh soledad

Poco a poco todas las cosas se van llenando de esta soledad. Noche y soledad aparecen de nuevo juntas en esta pregunta que martiriza al poeta:

a quién compré en esta noche la soledad que poseo

En *Crepusculario* la soledad del poeta era "un castillo sin ventanas y sin puertas", en *Tentativa* se transforma en "una pieza sin ventanas" y en ella está el poeta solo con su tristeza, viendo crecer las uñas de la soledad en todas las cosas: en "los puertos como herraduras abandonadas", en "malecones vacíos", en "cinematógrafos desocupados", en "el color de los cementerios", en "los buques destruídos", en "las tristezas encima de los follajes". Y mientras la soledad "asciende de todos los ruidos espantados", el poeta "vuelto a la pared escribe" —aquí ha alcanzado la soledad una de sus más logradas imágenes—;⁴ escribe "mordiendo las tintas de la noche" que tiñen de negrura sus alegrías y, luego, personificando a la noche:

mi alegre canto de hombre chupa tus duras mamas
mi corazón de hombre se trepa por tus alambres

A pesar de la técnica superrealista que Neruda ha usado en este libro, la unidad temática que señalamos en el capítulo anterior no se ha quebrantado; el automatismo verbal no ha podido amordazar las voces del corazón y sus desmayos de tristeza. En ese viaje infinito por la noche, la soledad, que lo acompaña desde *Crepusculario*, relampaguea a través de todo el poema. El amor había sido un paliativo, un bálsamo que por un momento detiene las paredes de sombra de la soledad; luego, en su fuga por la noche al país de los sueños, la soledad lo espera entre "las hélices negras de la noche", junto a los "animales del sueño". En *Tentativa del hombre infinito* el poeta busca la orilla que lo salve del naufragio, en la noche y en los sueños; aquellos versos de William Blake de "The land of Dreams" son tal vez los que mejor definen este momento de la poesía de Neruda:

Father, Oh Father! what do we do here
In this land of unbelief and fear?
The land of Dreams is better far,
Above the light of the morningstar."

Pero tampoco en el país de los sueños la soledad lo ha abandonado; por el contrario, ha crecido hasta encerrarlo en "una pieza sin ventanas" con "la tristeza del hombre tirada entre los brazos del sueño". Los sueños de *Tentativa*, por otro lado, no son celestes ni rosados; tienen la negrura de la noche y están poblados por visiones tétricas, son "animales" que quieren devorarlo. Pero en este bosque de soledades el poeta todavía se complace "deshojando nombres y altas constelaciones de rocío", busca las "palabras de alas puras":

147

margaritas, estrellas, molinos, húmedos terrones, campanas, mariposas, caracoles; hay también una evocación de su casa "perfumada de bosques" de Temuco: la alta ventana, las puertas, las vigas, la luz del petróleo y la lluvia cayendo en pétalos de vidrio". La soledad parece sublimarse en evocaciones y sueños; se recrea en la tristeza y podría decir con Shelley: "my faint heart with grief, but with delight". Todavía juega con su soledad; este lobo de sus sueños todavía le ofrece flores y el poeta las recoge en sus poemas; cuando llegue a su *Residencia en la Tierra* la soledad se lo comerá. La soledad que acecha la poesía de Neruda desde *Crepusculario* alcanza en *Residencia en la Tierra* un hermético ensimismamiento, ya sin tangentes y sin albergues, que hunde al poeta en la angustia y la desesperación. "En *Residencia en la Tierra* ya no encuentra donde refugiarse de la angustia, porque la angustia lo llena todo";[56] los parciales naufragios de *Crepusculario, El hondero, Veinte poemas* y *Tentativa* se hacen en *Residencia en la Tierra* un naufragio total.

4. *Residencia en la Tierra:* L o s   t e m a s

Los temas de *Residencia en la Tierra* son los mismos de sus libros anteriores: la soledad, la tristeza, el dolor, pero ahora, sin detenerse en ningún descansillo, han ascendido todos los escalones de su dimensión para alcanzar un paroxismo de muerte. La soledad ha derivado en un ensimismamiento total que pierde todo contacto con el mundo de las realidades objetivas; todo se subjetiviza en función de esa soledad que lo ahoga: se nos presenta, así, una realidad construida según las leyes de su propia fantasía, una visión del mundo según éste se refleja en la imaginación del poeta. Este mundo ya no puede ser aprehendido usando las categorías lógicas tradicionales, pues entonces nos parecería absurdo e ininteligible; para su comprensión debemos aplicar las categorías de esa "lógica" que la propia fantasía del poeta ha ido elaborando. Antes, por ejemplo, usaba la palabra soledad para transmitirnos esta idea; ahora la soledad ha recorrido todos sus abismos hasta reconcentrarse en un duro cascarón de hermetismo, decir de nuevo soledad ¿no sería tergiversar la verdadera intensidad de este nuevo estado en que el poeta parece ser el único habitante de la Tierra? Neruda, pues, extremará las fuerzas de su fantasía para expresar este nuevo estado que ha reventado su viejo canuto, que se asfixia y muere dentro de la vieja y estrecha palabra; nos dirá entonces:

una sola botella andando por los mares

Algo similar ocurre con los otros temas; la tristeza complaciéndose en su dulzura, ahora acidulada, se convierte en una angustia que se come por dentro al poeta mientras la soledad lo devora por afuera. Hablar ahora de "un llanto de princesa olvidada en el fondo de un palacio desierto" sería decir ambiguedades vacías, acaso burlarse de esa angustia que lo quema. La calidad poética de Neruda reside precisamente en ese buscar denodado de los materiales más sólidos para expresar lo desbordante de sus intuiciones, en ese agotar las canteras de su imaginación para brindarnos la imagen más próxima posible al modelo que lo incendia. Dirá pues:

con luto de viudo furioso por cada día de vida
como un camarero humillado, como una campana un poco
/ronca,
como un espejo viejo, como un olor de casa sola
en la que los huéspedes entran de noche perdidamente ebrios,
y hay un olor de ropa tirada al suelo, y una ausencia de flores,
....[57]

Y, finalmente, aquel dolor del que tanto se nos habla en *El hondero entusiasta* —"Ah, mi dolor, amigos, ya no es dolor de humano./Ah, mi dolor, amigos, ya no cabe en mi vida"— en *Residencia en la Tierra* corretea como fiera, sin ser nombrado transita por el verso abriendo sus fauces y mostrando sus garras para anunciarse:

Maligna, la verdad, qué noche tan grande, qué tierra tan sola!/He llegado otra vez a los dormitorios

solitarios,/a almorzar en los restaurantes comida fría,
y otra vez/tiro al suelo los pantalones y las camisas,/no
hay perchas en mi habitación, ni retratos de nadie en las
paredes./Cuánta sombra de la que hay en mi alma daría
por recobrarte,/y qué amenazadores me parecen los nombres de los meses/y la palabra invierno qué sonido de
tambor lúgubre tiene.[18]

En medio de esta realidad donde la soledad lo ahoga
con sus "ventosas de serpiente submarina" y la tristeza lo
envuelve en sus "alas de murciélago", la vida se va transformando en un camino hacia la muerte:

de tal manera que el camino de estrellas de la muerte
sea un violento vuelo comenzado desde hace muchos
días y meses y siglos?[19]

La vida no es sino un choque constante entre lo que es y
deja de ser, entre lo que vive y simultáneamente muere:

Ay, que lo que yo soy siga existiendo y cesando de existir.

El poeta se muere "como un naufragio hacia adentro, como
un ahogarse en el corazón, como un irse cayendo desde la
piel al alma", y en la caída de muerte el poeta nos cuenta
las imágenes que cruzan sus retinas:

Hay cadáveres,
hay piés de pegajosa losa fría,
hay la muerte en los huesos,
....
Yo veo, solo, a veces,
ataúdes a vela
zarpar con difuntos pálidos, con mujeres de trenzas muertas
....
ataúdes subiendo el río vertical de los muertos,
el río morado,
hacia arriba, con las velas hinchadas por el sonido de la muerte,
hinchadas por el sonido silencioso de la muerte.[60]

Pero no sólo el poeta se muere, la muerte no sólo a él lo busca; todas las cosas participan de este irse muriendo, todas las cosas reciben el guadañazo de la muerte. La muerte se hace escoba y lamiendo el suelo va buscando sus difuntos:

la muerte está en la escoba,
es la lengua de la muerte buscando muertos,
es el aguja de la muerte buscando hilo.[61]

El tiempo se acumula en las cosas y desgastándolas las va destruyendo; el tiempo es la guadaña de la muerte que va segando la vida, "inmóvil y visible como una gran desgracia". Y luego personificándolo nos lo describe:

Observa con sus ojos sin color, sin mirada,
lento, y pasa temblando, sin presencia ni sombra:
los sonidos lo arrugan, las cosas lo traspasan,
su transparencia hace brillar las sillas sucias.
¿Quién es ese fantasma sin cuerpo de fantasma,
con sus pasos livianos como harina nocturna
y su voz que sólo las cosas patrocinan?[62]

Este fantasma con "su rostro sin ojos" penetra en todas las cosas: en los roperos, en las verdes carpetas de las mesas, en el color de las cortinas y del suelo, "todo ha sufrido el lento vacío de sus manos,/y su respiración ha gastado las cosas". "Resbalando en las negras cocinas y cabinas, lento como el fuego, seguro, espeso y hercúleo" el tiempo hace sonar su victoria en la carrera de los seres y al acumularse en todos los volúmenes los va carcomiendo. "Solamente las aguas rechazan su influencia"; "las aguas del mar siempre están vivas, no tienen tiempo, no se gastan" y "traficando sus largas banderas de espuma/y sus dientes de sal volando con gotas . . ."

tocan el negro estómago del buque y su materia
lavan, sus costras rotas, sus arrugas de hierro:
roen las aguas vivas la cáscara del buque.[63]

151

En este poema —El fantasma del buque de carga— Amado Alonso ha localizado la influencia de Byron; Byron ve las aguas marinas "como la única sustancia que escapa a la acción corrosiva del tiempo". Alonso coteja los versos de Neruda "solamente las aguas rechazan su influencia (del tiempo)" y "Sin gastarse las aguas, sin costumbre ni tiempo . . ." con los versos de *Childe Harold's Pilgrimage* de Byron, CLXXXII:

> Time writes no wrinkles on thine azure brow
> Such creation's dawn beheld, thou rollest now.

en la invocación que comienza "Roll on, thou deep and dark blue Ocean-roll!"[64] Es indudable, sin embargo, que en esta visión del tiempo y su escudero la muerte la poesía de Neruda tiene manifiestos contactos con Quevedo, "quizás el poeta clásico más querido de Neruda". Aludiendo a esta afinidad nos dice Amado Alonso:

> En Quevedo el pensamiento del tiempo roedor de todas las cosas es insistente y nítido aunque sin llegar a la obsesión como en Neruda. La idea del incesante morir remonta a Séneca, cuya "Epístola XXIV" podría ser lema para el pensamiento central de Pablo Neruda. Pero Neruda no se enlaza directamente con Séneca, sino a través de Quevedo, en quien es idea muy frecuente.[65]

Así a "La calle destruída" de Neruda:

> Sobre las poblaciones
> una lengua de polvo podrido se adelanta
> rompiendo anillos, royendo pintura,
> haciendo aullar sin voz las sillas negras,
> cubriendo los florones del cemento, los baluartes de
> /metal destrozado,
> el jardín y la lana, las ampliaciones de fotografías
> /ardientes

heridas por la lluvia, la sed de las alcobas, y los
  /grandes
carteles de los cines en donde luchan
la pantera y el trueno,
las lanzas del geranio, los almacenes llenos de miel
  /perdida,
la tos, los trajes de tejido brillante,
todo se cubre de un sabor mortal
a retroceso y humedad y herida.

confronta Alonso el "Sermón estoico" de Quevedo, "no sólo
por el pensamiento, sino también por los materiales imagi-
nativos de presentación":

> No quiere darse, no, por entendido
> del paso de la edad sorda y ligera,
> que fugitivo calla,
> y en silencio mordaz, más advertido,
> digiere la muralla,
> los alcázares lima,
> y la vida del mundo poco a poco
> o la enferma o lastima.[66]

Esta influencia de Quevedo en Neruda, que Alonso define
como "segura", se confirma cuando recorremos los sonetos
de Quevedo, especialmente aquéllos llamados "de la muerte"
y que el propio Neruda presentó en forma de antología en
la revista *Cruz y Raya* en 1935. En Quevedo aparece siempre
el binomio tiempo-muerte ejerciendo su acción corrosiva en
todas las cosas; hablando de la vida humana dice:

> El tiempo, que ni vuelve ni tropieza
> en horas fugitivas la devana;[67]

Esta imagen del tiempo devanando la vida nos recuerda
aquella de Neruda: "es la aguja de la muerte buscando hilo".
Y luego, el rondar de la muerte por todas las cosas del mundo,
"el ver la muerte en los catres, en los colchones lentos, en

las frazadas negras" de "Sólo la muerte" de Neruda ¿no parece ser un desarrollo, sin negarle en ningún momento su calidad estética, del tema presente en el soneto de Quevedo "Miré los muros de la patria mía?" El aludido soneto se cierra con los tercetos:

> Entré en mi casa: ví que amancillada
> de anciana habitación era despojos;
> mi báculo más corvo, y menos fuerte.

> Vencida de la edad sentí mi espada,
> y no hallé cosa en que poner los ojos
> que no fuese recuerdo de la muerte.[68]

Finalmente, ese ser y dejar de ser de las cosas, la muerte emergiendo de la vida, la muerte devorando la vida, que representa la atmósfera de muchos de los poemas de *Residencia en la Tierra* ¿no parece ser un eco de la visión quevedesca de la vida tal como aparece en algunos de sus sonetos? Los versos siguientes son un ejemplo:

> Vivir es caminar breve jornada,
> y muerte viva es, Lico, nuestra vida,
> ayer al frágil cuerpo amanecida,
> cada instante en el cuerpo sepultada.[69]

La presencia de Quevedo en *Residencia en la Tierra* es, pues, evidente y fuera de toda duda. Neruda pareciera confirmarlo cuando dice en su "Viaje al corazón de Quevedo":

Quevedo fue para mí la roca tumultuosamente cortada. La superficie sobresaliente y cortante sobre un fondo de color de arena, sobre un paisaje histórico que recién me comensaba a nutrir. Los mismos oscuros dolores que quise vanamente formular, y que tal vez se hicieron en mi extensión y geografía, confusión de origen, palpitación vital para nacer, los encontré detrás de España, plateada por los siglos, en lo íntimo de la estructura de

Quevedo. Fue entonces mi padre mayor y mi visitador de España. Vi a través de su espectro la grave osamenta, la muerte física tan arraigada a España. Este gran contemplador de osarios me mostraba lo sepulcral, abriéndose paso entre la materia muerta, con un desprecio imperecedero por lo falso, hasta en la muerte . . . Hay una sola enfermedad que mata, y esa es la vida. Hay un sólo paso, y es el camino hacia la muerte. Hay una manera sola de gasto y de mortaja, es el paso arrastrador del tiempo que nos conduce . . . Por eso la vida se acrecienta en la doctrina quevedesca como yo lo he experimentado, porque Quevedo ha sido para mí no una lectura sino una experiencia viva, con toda la rumorosa materia de la vida.[70]

Esta "metafísica inmensamente física" palpita en casi todos los versos de *Residencia en la Tierra* y a través de su poesía nos acerca Neruda a esa "su experiencia viva". Sin embargo, no deja de sorprendernos que Neruda postergue "su encuentro" con Quevedo hasta la fecha de su llegada a España, o, para decirlo más propiamente, hasta después de publicados sus dos volúmenes de *Residencia en la Tierra;* esto que está dicho de pasada en el texto citado aparece con toda claridad en una nota de su libro *Viajes* que reza: "Por primera vez leí las poesías líricas de Quevedo en Madrid, en el año 1935",[71] lo cual constituiría una contradicción con lo que hemos señalado acerca de las huellas de Quevedo en *Residencia.* Amado Alonso nos revela otro detalle que agudiza esta contradicción; comentando la "Oda con un lamento" de *Residencia* nos advierte sobre el origen quevedesco de una de las metáforas que usa Neruda en el citado poema:

La procedencia quevedesca de los "relámpagos" de Neruda es segura. Leyendo yo con él su poema "Alianza (Sonata)" al llegar al verso "precede y sigue al día y a su familia de oro" me hizo esta confidencia: "¿Sabe quién dijo eso de la familia de oro? Quevedo". Pues bien, Quevedo lo dijo en el mismo soneto al retrato de Lisi donde están los "relámpagos de risa carmesíes":

En breve cárcel traigo aprisionada,
con toda su familia de oro ardiente
el cerco de la luz resplandeciente
y grande imperio de la luz corvado.[72]

La susodicha imagen —"la familia de oro"— se repite en
otro soneto de Quevedo que hemos encontrado, y aquí se
acerca aun más al uso que Neruda le da en "Alianza (Sonata)". En Quevedo en el soneto "No si no fuera yo, quien
solamente" leemos:

admite el sol en su familia de oro[73]

y en "Alianza (Soneto)" de Neruda:

procede y sigue al día y a su familia de oro

Nos hemos detenido en esta metáfora pues a ella alude Neruda
otra vez en "Viaje al corazón de Quevedo"; en una de sus
notas dice refiriéndose a las poesías líricas de Quevedo:

Encontré un viejo y atormentado libraco con su obra,
encuadernado en pergamino, en aquellas librerías de
lance de la estación de Atocha, librerías primorosas y
desordenadas que tal vez, ay!, no vuelva a ver. En la
noche, tomé mi tesoro y apenas abierto encontré en aquel
soneto que comienza "En breve cárcel traigo aprisionada, con toda su familia de oro ardiente . . ."una "familia de oro" que también yo había descubierto siglos
después y publicado en algún poema de Residencia en
la Tierra, en el año 1934.[74]

¿Coincidencia de poetas o memoria valeidosa de poeta?

A medida que nos hemos ido acercando al volumen II
de Residencia en la Tierra la realidad poética de Neruda,
bajo la mirada verde de la muerte y la "lengua de polvo
podrido del tiempo" rompiendo, royendo, consumiendo, gastando, destrozando, derrumbando, corroyendo, corrompiendo,

156

se ha ido desarticulando en un caos de cosas deshechas y fragmentadas. Sobre esta transición nos advierte Alonso:

En la primera época de *Residencia* (1925-1931) todavía hay un buen número de poemas de tema amoroso, donde la visión del mundo no es de desintegración ni la disposición psíquica es propiamente de angustia, y si hay desintegración, ésta es el escenario, el aire y el campo por cuyos lentos escombros renace a cada instante el espíritu indestructible. En el tomo II de atmósfera, la destrucción y su dolor se han convertido en tema central: tiene que hablar del río que durando se destruye, de lo perdido, de lo abandonado, del llanto, de cosas rotas, de bestias podridas, de lo que se desploma de las hojas; tiene que hablar de todas esas muertes, y, sobre todo, de su acongojado corazón.[75]

Ahora el poeta "llora la defunción de la tierra y el fuego": hay novias asesinadas, tomates asesinados, días blancos muertos, espadas y uvas difuntas; "todo llega a la tinta de la muerte", y mientras el poeta camina, respira el olor de las cosas muertas:

Voy por las tardes, llego
lleno de lodo y muerte,
arrastrando la tierra y sus raíces,
y a su vaga barriga en donde duermen
cadáveres con trigo,
metales, elefantes derrumbados.[76]

Aquel fatal anuncio de la primera parte de *Residencia* — "Estoy solo entre materias desvencijadas"— se cumple en la segunda; presenciamos el dislocamiento y desconcierto de todas las cosas que se rompen inexorablemente: seres rotos, barco roto, agua rota, rosas rotas, alcuzas rotas, río roto, vidrio roto, pasos rotos, candelabro roto, labios rotos, pescados rotos, abanico roto, cosas rotas, armadura rota, rincón roto, objeciones rotas. "Este modo de desintegración es un rasgo fisonómico de nuestra época. Un cajón de sastre, una acumulación de objetos aislados y desintegrados de su todo, como símbolo de un estado sentimental", nos explica Amado Alonso.[77] Basta pensar en la "Matanza de Guernica" para obtener de inmediato una imagen visual de ese mundo que Picasso ha fragmentado hasta el horror; esa cabeza suelta asomándose por una ventana, aquel brazo volando ¿no transmiten la terrible sensación de espanto que el pavor de aquella carnicería humana habría despertado en el artista? El poeta, que se ahoga en la angustia, sofocado por una soledad de muerte, hace morir a todas las cosas, las deshace, transmitiéndonos así una imagen de su propia destrucción, de su propio morir. "¿Por qué no una poesía que no tape el dolor sino que se cebe en él, que se hunda en lo radical, permanente e insoluble de nuestra congoja, dejándose de lo accidental histórico, huyendo de él hacia su centro, como en el vértigo?" pregunta retóricamente Amado Alonso para presentar la poesía de Neruda.[78] Y así es: de un dolor muy humano, de una soledad muy de nuestro siglo, de una angustia mortal se nutre la poesía de *Residencia en la Tierra*. La visión fragmentada y desintegrada de la realidad se explican en un corazón que ya ha bebido todas las amarguras, que se muere con cada día; cuando estamos tristes todas las cosas se nos presentan cubiertas por un pátina de tristeza, y cuando un hombre se muere: ¿no se mueren con él todos los entes que habitan el mundo? Cuando los ojos del poeta atrapan bajo sus párpados cualquier porción de realidad, cualquier objeto: trenes, tiendas, hospitales, ruedas o copas, estos se vacían del contenido funcional que los llenaba hasta el momento de caer bajo la pantalla del poeta; ahora son cosas sin uso, como palabras sin significado, como utensilios y máquinas que de pronto se transforman en juguetes; en el caso de la poesía de Neruda es una juguetería menos alegre, es más bien un cementerio porque todas las cosas están muertas. Y así como en los osarios pueden verse húmeros formando abanicos con tibias, o calaveras enracimadas, y en los "cementerios de automóviles" las carrocerías y los motores son silenciosos almacenes de herrumbe, en el mundo de *Residencia* todas las cosas han perdido el orden a que su función las sometía para transformarse en puros depositarios de la muerte,

en un mercado para la muerte donde ya no importa si aquello
sesos descansan junto a aquel trozo de hígado o aquel otro
pedazo de lomo: todo es carne, carnada, para la señora de
ojos verdes:

Como un grano de trigo en el silencio, pero
¿a quién pedir piedad por un grano de trigo?
Ved como están las cosas: tantos trenes,
tantos hospitales con rodillas quebradas,
tantas tiendas con gentes moribundas:
entonces, ¿cómo?, ¿cuándo?
¿a quién pedir por unos ojos del color de un mes frío,
y por un corazón del tamaño del trigo que vacila?
No hay sino ruedas y consideraciones,
alimentos progresivamente distribuídos,
línea de estrellas, copas
en donde nada cae, sino sólo la noche,
nada más que la muerte.[79]

Usando las palabras de Neruda podríamos decir: "es una
muerte metafísica inmensamente física"; metafísica, pues el
poeta se muere de angustia y física porque se proyecta en
objetos del mundo físico. No es una casualidad que la "enumeración caótica", a que hicimos alusión en el capítulo anterior, sea uno de los recursos favoritos en *Residencia en la
Tierra*, en una poesía donde la muerte, al romper la unidad
y el orden que naturalmente tienen las cosas las ha sumer-
gido en un caos, en sacos de donde el poeta las saca para
enumerarlas:

Herramientas que caen, carretas de legumbres,
rumores de racimos aplastados,
violines llenos de agua, detonaciones frescas,
motores sumergidos y polvorienta sombra,
fábricas. besos,
botellas palpitantes,
gargantas,
en torno a mí la noche suena,

el día, el mes, el tiempo,
sonando como sacos de campanas mojadas
o pavorosas bocas de sales quebradizas.[80]

En su "farmacia clausurada" el poeta acomoda los frascos
de diferentes tamaños, colores y formas, pero todos conte-
niendo, indefectiblemente, muerte en proporciones varias:

Conservo un frasco azul,
dentro de él una oreja y un retrato:
cuando la noche obliga
a las plumas del buho,
cuando el ronco cerezo
se destroza los labios y amenaza
con cáscaras que el viento del océano a menudo perfora,
yo sé que hay grandes extensiones hundidas,
cuarzo en lingotes,
cieno,
aguas azules para una batalla,
mucho silencio, muchas
vetas de retrocesos y alcanfores,
cosas caídas, medallas, ternuras,
paracaídas, besos.[81]

Soplando en su corazón nos enteramos quien es el farma-
céutico que puede trabajar en este laboratorio terrible de la
muerte:

Y soplaras en mi corazón de miedo frío,
soplaras en la sangre sola de mi corazón,
soplaras en su movimiento de paloma con llamas,
sonarían sus negras sílabas de sangre,
crecerían sus incesantes aguas rojas,
y sonaría, sonaría a sombras,
sonaría como la muerte,
llamaría como un tubo lleno de viento o llanto,
o una botella echando espanto a borbotones.[82]

Aquella "botella andando por los mares" ahora echa espanto
a borbotones.

Esta imagen del mundo, construída con fealdades y abyecciones, en donde:

Los atardeceres del seductor y las noches de los esposos
se unen como dos sábanas sepultándome,
y las horas después del almuerzo en que los jóvenes estudiantes
y las jóvenes estudiantes, y los sacerdotes se masturban,
y los animales fornican directamente,
y las abejas huelen a sangre, y las moscas sumban coléricas
y los primos juegan extrañamente con sus primas,
y los médicos miran con furia al marido de la joven paciente,
y las horas de la mañana en que el profesor, como por descuido,
cumple con su deber conyugal y desayuna,
y más aún, los adúlteros, que se aman con verdadero amor
sobre lechos altos y largos como embarcaciones:
seguramente, eternamente me rodea
este gran bosque respiratorio y enredado
con grandes flores como rocas y dentaduras
y negras raíces en forma de uñas y zapatos.[83]

Este bosque no solo extrema lo aislado y lo solitario de su ser, el olor a muerte de todas las cosas no solo "lo hace llorar a gritos", estas "zapaterías con olor a vinagre", estas "calles espantosas como grietas", estos "pájaros de color azufre y horribles intestinos colgando de las puertas de las casas que odio", estas "dentaduras olvidadas en una cafetera", aquellos espejos "que deberían haber llorado de verguenza y espanto", aquellos "patios donde las ropas colgadas de un alambre: calzoncillos, toallas y camisa lloran lentas lágrimas sucias", aquellos "paraguas, venenos y ombligos" convierten al poeta en una bodega de muertes, en un subterráneo solo, que aterido se muere de pena. Casi no nos sorprende, pues, cuando nos dice:

Sucede que me canso de mis pies y mis uñas
y mi pelo y mi sombra.
Sucede que me canso de ser hombre.[84]

y lo comprendemos cuando exclama asfixiado por la angustia:

161

No quiero para mí tantas desgracias.
No quiero continuar de raíz y de tumba,
de subterráneo solo, de bodega con muertos,
aterido, muriéndome de pena.[85]

Cuando años más tarde el poeta sale de este bosque enredado
de muerte, escribirá refiriéndose a este período de su poesía:

Escribí, escribí sólo
para no morirme.

La forma

Al hablar de *Tentativa del hombre infinito* dijimos que
Neruda había usado deliberadamente la técnica superrealista
y que el poema fue escrito según todos los cánones de esta
estética: la fantasía retoza desensillada y el sueño vuela entre
visiones fragmentadas; agregamos, asimismo, que a pesar
del superrealismo del poemario, la línea temática de la poesía
de Neruda no se quiebra y la tristeza y la soledad bracean
imperturbables en ese mar de noche, metáforas y sueño. En
Residencia en la Tierra se usan todavía algunos recursos de
la técnica superrealista, pero ya no podemos adscribir al libro
en aquella escuela; en muchos poemas predominan, por ejemplo, las imágenes en gestación, en constante movimiento y
metamorfosis, hasta que resulta imposible visualizarlas. Así
el misterio de la vida, cuyo sentido el poeta busca, pasa por
una serie de representaciones que solo en su conjunto nos
transmitirán la idea de su totalidad, de una totalidad que
siempre puede ser completada y corregida:

Ahora bien, de qué está hecho ese surgir de palomas
que hay entre la noche y el tiempo, como una
/barranca húmeda?
Ese sonido ya tan largo
que cae listando de piedras los caminos,
más bien, cuando sólo una hora
crece de improviso, extendiéndose sin tregua.[86]

El misterio de la vida imaginado en los dos primeros versos como un surgir de palomas que emergen de lo infinito — entre la noche y el tiempo—, y de una barranca tenebrosa, en los subsiguientes es representado como un "sonido prolongado e incontenible que cae y cubre al mundo creando las cosas elementales"[87] y, finalmente, "como una hora, una porción de tiempo que se prolonga infinitamente. Comentando el referido poema —"Galope muerto"— nos dice Amado Alonso:

> Sospecho que en este poema, más que en ningún otro, Pablo Neruda quiso practicar el mandamiento de la retórica predicada por los superrealistas franceses, que prohibían en la imagen la posibilidad de visualización.[88]

Estas imágenes jamás llegan a nacer definitivamente, son como los diferentes estados de una metamorfosis que se suceden para alcanzar una realización final; el poeta no nos muestra el resultado final de este proceso: la metáfora o imagen finalmente elaborada y que mejor representará la intuición poética. Se nos muestra, en cambio, las diferentes etapas de este proceso de elaboración: el huevo haciéndose oruga, la oruga deviniendo en crisálida, la crisálida transformándose en mariposa; y cuando creemos haber alcanzado la última metamorfosis en la configuración de la intuición poética el poeta nos dice: "pero no es esto" y ya tenemos a la mariposa en un nuevo estado que definirá más claramente el sentimiento que el poeta quiere proyectar. La verdad es que el sentimiento no alcanza en ningún caso una objetivación final, pero el conjunto de imágenes que el poeta ha ido esbozando nos brindan la mejor proyección del sentimiento que agita al poeta.

En el poema, pues, no presenta Neruda el cuadro terminado sino el conjunto de bocetos o, como lo ha sugerido Alonso, "entreabre la puerta de su taller y deja al lector asistir al instante del nacimiento de la imagen".[89] Para la fabricación de su poema usa también materiales del mundo de los sueños, otra práctica de ascendencia superrealista. "Hay poemas, como "Colección nocturna" y "Caballo de los sueños" (y parcialmente "Un día sobresale"), cuya materia poetizada es directamente la experiencia onírica".[90] En "Caballo de los sueños" el poeta atraviesa las iglesias con un caballo rojo —"desnudo sin herraduras y radiante"— mientras "un ejército impuro" lo persigue; en la mayoría de sus poemas hay elementos oníricos que al entrelazarse con la fantasía del poeta le ayudan a estructurar el poema.

Hemos visto que los temas de *Residencia* son de índole psicológica y corresponden al estado emocional que vive el poeta (a pesar de sus cinco años en el Asia omite en sus poemas toda referencia directa a paisajes y exotismos orientales); estos estados sentimentales se configuran en el poema a través de elementos muy concretos como muebles, barcos, niebla, flores, espejos, dormitorios, etc., pero que, al convertirse en materiales de la fantasía, pierden el valor práctico y natural que tienen y que les confiere su identidad; de la vieja identidad, el poeta usa ese carácter material y concreto de las cosas, pero es indudable que ahora importan por el nuevo valor que el poema les ha otorgado. Este trastrueque de valores de las cosas es propio de los sueños y de aquí el sabor onírico de muchos de los poemas de *Residencia*.

El equilibrio entre el sentimiento y el pensamiento propio de la poesía clásica se ha roto en *Residencia* en favor del primero; para la comprensión del poema será necesario, pues, captar primero el sentimiento que el poeta ha buscado estructurar, para comprender luego el nuevo valor de los materiales constitutivos.[91] Así como el lenguaje de los sueños deja de ser disparatado cuando comenzamos a comprender la lógica de su mecanismo, la imaginería de la poesía de *Residencia* recobra su verdadera vigencia cuando nos ubicamos en el ángulo emocional desde el cual han sido disparadas sus imágenes.

Otro rasgo de filiación superrealista en la poesía de *Residencia* es su fidelidad a la carrera de la imaginación, al transcurrir del pensamiento; no pensamientos o sentimientos acabados, nacidos, sino más bien el proceso de gestación; no la presa sino los altibajos de la cacería. Y sin embargo *Residencia en la Tierra* no es poesía superrealista; el automatismo verbal, factor del caos en el poema, ha sido eliminado; "cada poema tiene siempre unidad de pensamiento poético, hay un sentido formado y una coherencia íntima de sus elementos, por estrafalarios que parezcan a veces al lector desprevenido".[92] Hay visiones caóticas, la realidad es presentada como un caos, pero no hay caos en el poema cuya estructura responde siempre a una unidad determinada. La imaginería no es juego en sí mismo; hay una corriente sentimental que atraviesa las imágenes dándoles unidad. Hasta lo más caótico de su fantasía conduce alguna medida de esa carga emocional que llena al poeta y que enhebra hasta lo más contradictorio en un solo collar. De aquí que en lo esencial de su contenido —fidelidad y sujeción al mundo interior— la poesía de *Residencia* pueda ser considerada como romántica. Así la define Amado Alonso teniendo en cuenta el predominio de la emoción sobre toda otra potencia poética, y la llama "expresionista, por el procedimiento eruptivo de las imágenes y por la deformación de las construcciones objetivas en gracia a la mayor expresión de lo emocional".[93] Pero si por la forma puede ser definida como "expresionista", qué duda cabe que el expresionismo de *Residencia en la Tierra* está enriquecido con los descubrimientos y los procedimientos de la estética superrealista aplicados al vuelo de su propia fantasía.

Los recursos de esta fantasía han sido estudiados con meticuloso cuidado por Amado Alonso; su libro es exhaustivo en este sentido y no tendría ningún valor repetir lo que en su estudio está expuesto con claridad y hondura. Con muy buen tino y atendiendo a su proverbial precisión ha eludido Alonso la nomenclatura literaria convencional para definir los rasgos de estilo de *Residencia en la Tierra;* así por ejemplo, cuando estudia el virtuosismo rítmico dice "juegos vocálicos" y no paranomasia y cuando analiza la metáfora evita los nombres de "metáfora mágica" o "mística", o aquello de "animizante" y 'desanimizante" para llamar a las cosas por su nombre con austeridad y meridiana claridad.

He aquí una miniatura del perfil del estilo de *Residencia* trazado por Alonso: reduce a dos los rasgos principales de la fantasía poética de *Residencia:* a) la condición extremadamente concreta de esta fantasía y b) su tendencia a desbocarse por lo desmesurado e infinito; y entre los recursos de *Residencia* para estructurar el poema distingue: a) lo inmaterial es presentado como concreto y material, y lo genérico particularizado; b) a veces particularizado mediante símbolos enigmáticos; c) hasta cuando el pensamiento es abstracto la fantasía es concreta; d) la tendencia a lo desmesurado y a derribar lindes se manifiesta en sus frecuentes temas grandiosos, y, sobre todo, en sus constantes ojeadas a lo cósmico y a lo telúrico; e) este sentido cósmico suele tener su afición a la pareja de términos complementarios ("entre sombra y espacio", "entre la noche y el tiempo" ; f) las extensiones que rodean son también, en parte, una nueva disparada de la fantasía hacia lo infinito ("un alrededor de llanto", "un día rodeado de poderes", "¿Qué ámbito destrozado te rodea?") ; g) su peculiar visión del mundo pone en los objetos estados de ánimo propios de los ·sujetos o, al revés, reviste al sujeto de ·cualidades propias de los objetos ("la mañana herida", "el doloroso cine", "Cuando el deseo de alegría con sus dientes de rosa . . .") ; h) a través de "disjecta membra" expresa la visión de desintegración o, alguna vez, de recomposición, como en "El desenterrado"; i) el procedimiento de que lo comparativo prescinde de lo comparado contribuye junto con los otros rasgos para dar a la fantasía de Pablo Neruda un carácter onírico.

NOTAS

1.—Alfredo Cardona Peña, *Pablo Neruda y otros ensayos.* México: Ediciones de Andrea, 1955. p. 30.

2.—Pablo Neruda, *Viajes.* Santiago de Chile: Nascimiento, 1955. p. 44.

3.—*Ibídem.,* p. 63.

4.—*Ibídem.,* p. 62.

5.—Pablo Neruda, *Obras completas.* Buenos Aires: Losada, 1962. p. 653.

6.—*Ibídem.,* pp. 653-654.

7.—*Ibídem.,* p. 655.

8.—*Ibídem.,* p. 1501.

9.—*Ibídem.,* p. 1502.

10.—*Ibídem.,* pp. 1413-1414.

11.—*Ibídem.,* pp. 1336-1337.

12.—Estas alusiones pueden encontrarse especialmente en los poemas en prosa incluídos en el primer tomo de *Residencia en la Tierra.*

13.—Alfredo Cardona Peña, *ob. cit.,* p. 29.

14.—*Ibídem.,* p. 28.

15.—*Ibídem.,* p. 31.

16.—Juan Ramón Jiménez, *Españoles de tres mundos.* Buenos Aires: Losada, 1958. p. 124.

17.—Alfredo Cardona Peña, *ob. cit.,* pp. 31-32.

18.—Pablo Neruda, *Obras completas,* p. 225.

19.—*Ibídem.,* p. 584.

20.—Pablo Neruda, *Viajes.* pp. 26-27.

21.—Pablo Neruda, *Obras completas.* p. 255.

22.—Alfredo Cardona Peña, *ob. cit.,* p. 28.

23.—*Ibídem.,* p. 30.

24.—Rafael Alberti, "Imagen primera de Pablo Neruda". *La Nación:* Santiago de Chile, Enero 14 de 1954.

25.—*Ibídem.*

26.—Rafael Alberti, *La arboleda perdida.* Buenos Aires: Fabril, 1959. p. 300.

27.—Otros detalles sobre este manuscrito pueden encontrarse en las memorias de Rafael Alberti publicadas bajo el nombre *La arboleda perdida,* Buenos Aires: Compañía General Fabril Editora, 1959. pp. 299-300.

28.—Rafael Alberti, *ob. cit.,* p .299.

29.—Miguel Hernández, "Residencia en la Tierra", *El Sol:* Madrid, Enero 2 de 1936.

30.—Arturo Serrano Plajas, "Pablo Neruda". *Revista de las Españas:* Madrid, 1938, No. 102.

31.—Marcel Brion, "Residencia en la Tierra". *Les Nouvelles Littéraires,* Abril 18 de 1936 (París).

32.—Mariano Picón Salas, "Nueva poética de Pablo Neruda". *Repertorio Americano,* diciembre 5 de 1935 (San José de Costa Rica).

33.—Genaro Estrada, "Residencia en la Tierra de Pablo Neruda". *Revista de Revistas,* enero 26 de 1936 (México).

34.—Pablo Rojas Paz, "Pablo Neruda, la poesía y su inseguridad". *Nosotros,* 1937, octubre, año II, No. 19 (Buenos Aires).

35.—Octavio Paz, "Pablo Neruda en el corazón". (Ru) Mexico, 1938, No. IV.

36.—René Wellek y Austin Warren, *Teoría literaria*. Madrid: Gredos, 1959. p. 217.

37.—Amado Alonso, *Poesía y estilo de Pablo Neruda*. Buenos Aires: Sudamericana, 1951. p. 10.

38.—Alfredo Cardona Peña, *ob. cit.*, p. 20.

39.—Marcel Raymond, *De Baudelaire au Surrealisme*. París: Jose Corti, 1952. p. 287.

40.—Enrique Anderson Imbert, *Historia de la literatura hispanoamericana*, México: Fondo de Cultura, vol. II, p. 49.

41.—Octavio Paz, *ob. cit.*

42.—Enrique Anderson Imbert, *ob. cit.*, p. 29.

43.—André Breton, *Manifestes du Surréalism*. Paris: Jean Jacques Pauvert éditeur, 1962. p. 40.

44.—Luis Monguió, *La poesía postmodernista peruana*. México University of California and Fondo de Cultura, 1954. pp. 157-158.

45.—*La voz del Sur*, "Neruda poeta de la Humanidad", Arequipa, sep. 1943.

46.—Tomás Lago, "La nueva poesía de Neruda". *La Nación*: Santiago de Chile, mayo 2 de 1955.

47.—Pablo Neruda, *Obras completas*. p. 100.

48.—*Ibídem.*, p. 102.

49.—*Ibídem.*, p. 102.

50.—*Ibídem.*, p. 100.

51.—André Breton, *ob. cit.*, p. 44.

52.—Pablo Neruda, *Obras completas*. p. 105.

53.—Claude Vigée, *Révolte et lounges*. Paris: Jose Corti, 1962. pp. 86-87.

54.—El poeta norteamericano contemporáneo Andrew Wyeth ha usado la misma imagen para representar la soledad humana; en su cuadro "That Gentleman" nos muestra un hombre sentado contra la pared de un cuarto, aunque en su cuadro, más que angustia, hay solo resignación y tristeza.

55.—William Blake, *The Lyrical poems*. London: Oxford, 1921. p. 13.

56.—Amado Alonso, *ob. cit.*, p. 15.

57.—Pablo Neruda, *ob. cit.*, p. 175.

58.—*Ibídem.*, p. 189.

59.—*Ibídem.*, p. 193.

60.—*Ibídem.*, p. 199.

61.—*Ibídem.*, p. 200.

62.—*Ibídem.*, p. 187.

63.—*Ibídem.*, p. 188.

64.—Amado Alonso, *ob. cit.*, pp. 18-20.

65.—*Ibídem.*, pp. 290-291.

66.—*Ibídem.*

67.—Francisco de Quevedo, *Antología poética*. Madrid: Espasa-Calpe, 1959. p. 31.

68.—*Ibídem.*, p. 37.

69.—*Ibídem.*, p. 38.

70.—Pablo Neruda, *Viajes*. pp. 17-19.

71.—*Ibídem.*, p. 201.

72.—Amado Alonso, *ob. cit.*, p. 190.

73.—Francisco de Quevedo, *ob. cit.*, p. 42.

74.—Pablo Neruda, *Viajes*, p. 201.

75.—Amado Alonso, *ob. cit.*, p. 29.

76.—Pablo Neruda, *Obras completas*, pp. 208-209.

77.—Amado Alonso, *ob. cit.*, p. 22.

78.—*Ibídem.*, pp. 7-8.

79.—Pablo Neruda, *ob. cit.*, p. 211.
80.—*Ibídem.*, p. 197.
81.—*Ibídem.*, p. 208.
82.—*Ibídem.*, p. 201.
83.—*Ibídem.*, pp. 184-185.
84.—*Ibídem.*, p. 204.
85.—*Ibídem.*, p. 204.
86.—*Ibídem.*, p. 162.
87.—Amado Alonso, *ob. cit.*, p. 182.
88.—*Ibídem.*, p. 184.
89.—*Ibidem.*, p. 43.
90.—*Ibídem.*, p. 305.
91.—En este punto Amado Alonso aconseja para una mejor comprensión de la poesía de *Residencia en la Tierra* "atender ante todo a esa fuerza explosiva del sentiminto que estalla en un volcán, como condición para poder seguir su canción entrañable, y aprender a ver en el mundo destruído de sus imágenes la manifestación de la intensidad de esa fuerza y de la íntima regulación y coherencia del sentimiento". En *ob. cit.*, p. 77.

IV. LA POESIA SOCIAL

El mundo ha cambiado y mi poesía ha cambiado

TERCERA RESIDENCIA — Marzo de 1939

Los pinares del Sur, las razas de la uva
dieron a tu diamante cortado sus resinas,
y al tocar tan hermosa claridad, mucha sombra
de la que traje al mundo, se deshizo.

"A Rafael Alberti (Puerto de Santa María,
España)", *CANTO GENERAL.*

1. *Entre la guerra española y el exilio*

En julio de 1936, Pablo Neruda es el Cónsul de Chile en Madrid. Tiene su casa en Arguelles, barrio de mercados y de calles vocingleras; a sus balcones llegan el olor marino del pescado y el vocerío agorero de marchantes y vendedores. Y una mañana todo estaba ardiendo . . .

> Y una mañana las hogueras
> salían de la tierra
> devorando seres,
> y desde entonces fuego,
> pólvora desde entonces,
> y desde entonces sangre.[1]

Es el fuego de la guerra que transforma a Madrid, y luego a toda España, en una trinchera; estas llamaradas sacudirán a Pablo Neruda de su ensimismamiento hasta abrir una brecha en su poesía hermética, como luego veremos. Pero la conmoción de su poesía es la resultante de una conmoción más personal y humana.

A pesar de su investidura consular, Neruda no se envuelve en ese gélido neutralismo a que la diplomacia obliga las más de las veces. En España, Neruda, más que un cónsul anónimo, es un poeta rodeado del afecto y la admiración de una generación de poetas como no la hubo en España desde el Siglo de Oro. Estos poetas son sus amigos, sus compañeros de canto, su más profundo contacto con España. De Lorca había dicho Neruda:

> Era popular como una guitarra, alegre, melancólico, profundo y claro como un niño, como el pueblo. Si se hubiera buscado difícilmente, paso a paso por todos los

rincones a quién sacrificar, como se sacrifica un símbolo, no se hubiera hallado lo popular español, en velocidad y profundidad, en nadie ni en nada como en este ser escogido.[2]

El 18 de julio, cuando estalla la insurrección falangista, Lorca está en Granada; algunas semanas más tarde es asesinado en Viznar por la "Escuadra Negra" de la Falange. Aquel otro gran poeta, amigo de Neruda, "pastor de Orihuela cuyo rostro era el rostro de España" —Miguel Hernández— muere tuberculoso en una cárcel falangista. Rafael Alberti, desde los últimos meses de la dictadura de Primo de Rivera había ya encontrado "un punto de apoyo para su vida espiritual en el pueblo, en lo primario y fundamental".[3] Desde 1930 aparece ya entre los grupos que gritan "¡Muera Primo de Rivera! ¡Abajo la Dictadura!"[4] Cuando estalla la guerra, Alberti se encuentra entre los defensores más leales y devotos de la República. Aludiendo a Alberti Neruda escribe:

Tu sabes que no enseña sino el hermano. Y en esa
hora no sólo aquello me enseñaste,
no sólo la apagada pompa de nuestra estirpe,
sino la rectitud de tu destino,
y cuando una vez más llegó la sangre a España
defendí el patrimonio del pueblo que era mío.[5]

Estos, sus amigos, y todo el pueblo español que defiende la República, deciden a Neruda a tomar un puesto de lucha en el frente republicano. Su cargo de Cónsul de Chile lo limitará en los comienzos a su poesía —comienza a escribir los poemas de *España en el corazón*— y a una actitud velada consistente en reuniones y asambleas, en algunas de las cuales aparece como vocero de la República;[6] luego, edita la revista *Los poetas del mundo defienden al Pueblo Español*.

A fines de 1936 vaja a Francia. Permanece los primeros tres meses en Marsella y luego se traslada a París donde pronuncia, en febrero de 1937, su conferencia sobre Federico García Lorca, incluída en la edición de sus *Obras completas*.

En París se encuentra Neruda con César Vallejo; el primer encuentro entre los dos poetas había tenido lugar en 1927 cuando Neruda, de paso para el Oriente, hizo escala en París. Rojas Giménez, amigo del peruano y del chileno, los presentó y los tres, con Xavier Abril, se dieron cita en "La Rotonde" donde conversaron, tomaron unos cócteles y luego se despidieron.[7] Ahora —en 1937— César y Pablo se reencuentran y juntos trabajan en la formación del "Grupo Hispano-Americano de Ayuda a España". Aludiendo a este encuentro cuenta Neruda en su "Oda a César Vallejo":

> Era en París, vivías
> en los descalabrados
> hoteles de los pobres.
> España
> se desangraba.
> Acudíamos.[8]

Juan Larrea, por su parte, describe el encuentro con abundancia de detalles:

> En París Vallejo se encontraba en la pobreza, mientras que Neruda no carecía de fondos. Neruda se empeñaba en invitarle a Vallejo a pasarse la noche de trago en trago, mas cuando eso sucedía, Vallejo sentía al día siguiente un profundo desagrado no exento de remordimiento. Sobre todo que Neruda adoptaba ante Vallejo un aire protector, como de superioridad que a César no le hacía ninguna gracia por lo visto. El caso es que las relaciones, en vez de arreglarse entre ellos tendieron a descomponerse.[9]

Y más adelante prosigue el mismo Larrea:

> Por entonces había un grupo latinoamericano en París que deseaba se le encomendara a Vallejo el trabajo retribuído de dirigir el boletín mimeografiado *Nuestra España,* publicado por la colonia antifascista de Iberoamérica, pero sostenido por la propaganda es-

pañola. Vallejo que había sido uno de los fundadores del Comité, parecía por sus títulos ser el más indicado para ello en aquel entonces. Pero no lo estimó así Neruda, quizá por esa diferencia que existía entre uno y otro. Cuando se planteó la cuestión, no se le dió el trabajo a Vallejo, que por otra parte tanto lo necesitaba, sino que lo designaron a Pita Rodríguez que fue quien corrió desde aquel día con el Boletín por ser el candidato de Neruda.[10]

En julio del mismo año Neruda participa en el Congreso de las Naciones Americanas en París y su discurso se edita en francés al año siguiente. Aparece en asambleas, habla en reuniones, difunde manifiestos, divulga y defiende la causa de los que luchan en el otro lado de los Pirineos. La actividad política de Neruda solapada en sus comienzos es ahora evidente; su posición de cónsul se compromete y finalmente pierde su puesto diplomático. El gobierno de Chile le ordena abandonar España.

En su viaje de regreso a Chile completará su poemario *España en el corazón* y, un mes después de su arribo el libro se edita en Santiago el 13 de noviembre de 1937. Un año más tarde —el 7 de noviembre de 1938— se imprimen en España 500 ejemplares; la edición estuvo a cargo de Manuel Altolaguirre y sale a luz para el segundo aniversario de la defensa de Madrid con la siguiente "Noticia": "El gran poeta Pablo Neruda, (la voz más profunda de América desde Rubén Darío, como dijo García Lorca), convivió con nosotros los primeros meses de la guerra. Luego en el mar, como desde un destierro, escribió los poemas de este libro. El Comisariado del Ejército del Este lo reimprime en España. Son soldados de la República quienes fabricaron el papel, compusieron el texto y movieron las máquinas. Reciba el poeta amigo esta noticia como una dedicatoria". Esta edición heroica de *España en el corazón* cobra con el tiempo visos de leyenda; se cuenta, por ejemplo, que en el macerado de la pasta del papel para la impresión del libro se echaron la camisa de un moro prisionero y una bandera franquista; asimismo que de los quinientos ejemplares "la mayoría quedó en Cataluña, escondidos entre los arbustos del camino por los soldados que trataron de preservarlo del odio".[11]

Neruda en Chile, funda la "Alianza de Intelectuales de Chile para la defensa de la Cultura" y es elegido su primer presidente. El 18 de agosto de 1938 triunfa en las elecciones presidenciales el candidato del así llamado "Frente Popular", don Pedro Aguirre Cerda; Neruda puede recorrer el país pronunciando conferencias y discursos. El poeta se convierte en el adalid de la causa española en Chile.

Con la derrota de la República española cesan las hostilidades y miles de españoles, perseguidos y refugiados, buscan y esperan asilo. México y Chile son los países hispanoamericanos que mejor responden a este llamado de solidaridad con el pueblo español. En 1939 Neruda es designado por el gobierno de su país Cónsul para la Inmigración Española, con sede en París. Viaja, pues, a Francia y organiza el primer contingente de emigrantes españoles, tarea ésta no de oficina burocrática sino de contacto personal con cientos de refugiados hacinados en campos de concentración: pescadores, campesinos, obreros, mecánicos que hasta la víspera habían sido soldados de la República. A fines de aquel año llegan a Chile los inmigrantes españoles a bordo del "Winipeg".

En 1940 Neruda está de regreso en Chile y comienza a escribir algunos de los poemas que más tarde formarán parte del "Canto general de Chile". En agosto de ese mismo año es nombrado Cónsul de su país en México y aquí residirá tres años. Neruda conoce en México una nueva dimensión de la geografía americana y un nuevo perfil de su estirpe. Viaja por el soleado suelo mexicano y en la costa del Pacífico encuentra "la derramada rosa del mar de California", mientras que en la del Atlántico "el rayo verde que Yucatán derrama", y luego: "el amarillo amor de Sinaloa" y "los párpados rosados de Morelia". Neruda nos ha dejado una crónica detallada de sus viajes por México :

Desde Topolobambo en Sinaloa, bajé por esos nombres hemisféricos, ásperos nombres que los dioses dejaron de herencia a México cuando en él entraron a mandar los hombres, menos crueles que los dioses. Anduve por todas esas sílabas de misterio y esplendor, por esos sonidos aurorales. Sonora y Yucatán, Anáhuac que se levanta como un brasero frío a donde llegan todos los confusos aromas desde Nayarit hasta Michoacán, desde donde se percibe el humo de la pequeña isla de Janitzio, y el olor de maíz y maguey que sube por Jalisco, el azufre del nuevo volcán de Paricutín juntándose a la humedad fragante de los pescados del lago de Pátzcuaro. México, el último de los países mágicos, mágico de antiguedad y de historia, mágico de música y de geografía.[12]

Su residencia de tres años en México le permite adentrarse en el "linaje de luna" de la raza, en sus héroes y gestores: desde Cuauhtemoc, Hidalgo, Morelos, Juárez, hasta Cárdenas, "Presidente de América". Por eso dice Neruda de la profundidad humana de México:

> Y no hay en América, ni tal vez en el planeta, país de mayor profundidad humana que México y sus hombres. A través de sus desiertos luminosos, como a través de sus errores gigantescos, se ve la misma cadena de grandiosa generosidad, de vitalidad profunda, de inagotable historia, de germinación inacabable.[13]

En el México de Cárdenas, "abierto al errante, al herido, al desterrado, al héroe", una mañana aparecen sus paredes vestidas con versos; los muros de la ciudad de México, acostumbrados al pródigo traje mural, amanecieron acicalados con el poema de Neruda "Canto a Stalingrado", cuando la histórica batalla aun se estaba librando. Este y otros poemas de *Tercera Residencia* se editan por primera vez en México; solo cinco años más tarde estos poemas aparecen reunidos en el libro mencionado. También en México escribe Neruda algunos de los poemas de *Canto general* y en la víspera de su partida se hace una edición privada de "Canto general de Chile". Cuando el poeta deja México, el 27 de agosto de 1943, dos mil mexicanos le ofrecen una cálida despedida en ciudad de México.

De regreso a Chile, Neruda bordea las costas del Pacífico y se detiene en algunas capitales hispanoamericanas. En Colombia es huésped del Presidente López y en octubre asciende al Cuzco y a Machu Pichu; "aquí comenzó a germinar mi idea de un canto general americano. Antes había persistido en mí la idea de un canto general de Chile, a manera de crónica. Ahora veía a América entera desde las alturas de Machu Pichu", cuenta Neruda.[14]

De vuelta en Chile recibe el Premio Municipal de Poesía y al año siguiente —1945— se le otorga el Premio Nacional de Literatura y es elegido Senador de la República en las Elecciones Generales del 4 de marzo, por la Agrupación Provincial de Tarapacá y Antofagasta. Desde entonces viaja a Buenos Aires, Montevideo y Río de Janeiro pronunciando conferencias sobre su poesía y ofreciendo recitales.

Pablo Neruda, que desde 1945 es miembro y militante del Partido Comunista Chileno, es nombrado Jefe Nacional de Propaganda para las elecciones presidenciales del 4 de septiembre de 1946 por la Unión de Partidos Democráticos de Chile, que reunió en un sólo frente a comunistas y radicales. Gabriel González Videla, candidato del Partido Radical, resultó electo en el Congreso con el apoyo de los comunistas.

En julio de 1947 veinte mil mineros del carbón se pronunciaron en huelga en las minas de Lota y Coronel. ¿Las causas de la huelga? Neruda las enumera en su conferencia "El esplendor de la tierra":

Por la alimentación miserable, y por los doce kilómetros de viaje mortal bajo el océano, y por el grisú, y por la muerte, y por el salario imposible —50 centavos de dólar por esas doce horas de trabajo— y por todo lo que sabemos, por los zapatos rotos, y por la ropa mojada, y por la tuberculosis y por la silicosis, por eso, en aquel mes de julio de 1947, había, como debe ser, como tiene que ser, una gran huelga entre los mineros del carbón de Lota y Coronel, en las profundidades del desolado sur, bajo las ráfagas antárticas, junto al mar en que el petrel y el albatros de las soledades vuelan en la niebla marina.[15]

El gobierno del Sr. González Videla declaró que la huelga estaba inspirada por agentes de naciones extranjeras y señaló como responsables a los funcionarios y diplomáticos de la Unión Soviética, Yugoeslavia y Checoeslovaquia; a la declaración siguió el rompimiento de relaciones diplomáticas con esos países. Posteriormente, provisto de poderes especiales, el Presidente debeló la huelga empleando la conscripción militar, desterró a los dirigentes sindicales a islas del Sur y estableció la censura para la prensa.

En reacción a estos sucesos Pablo Neruda, a la sazón senador nacional por el Partido Comunista, escribió su "Carta íntima para millones de hombres" que el 27 de noviembre de ese año —1947— publicó en sus páginas el diario *El Nacional* de Caracas. En resumen, Neruda declaraba en el extenso documento: Que el Presidente Gabriel González Videla había violado el juramento prestado ante la Convención de Partidos Democráticos de Chile, de cumplir el programa llamado del 4 de septiembre; que había creado campos de concentración en las islas del Sur del país donde estaban recluídos los principales dirigentes sindicales; que había desatado una violenta persecución política contra los comunistas sin cuyos votos su elección no habría sido posible; que había establecido el trabajo forzado para los mineros de Lota y Coronel; que había puesto en vigor una rigurosa censura en la prensa; que las libertades públicas habían sido conculcadas; que todos estos actos habían sido ejecutados en obedecimiento a la presión de poderosos monopolios norteamericanos que controlaban la vida económica de Chile.[16] En respuesta a la carta de Neruda el Presidente demandó al poeta ante la justicia de Chile por injuria y calumnia y solicitó, además, su exclusión del Senado de la República. El 3 de febrero de 1948 la Corte Suprema aprueba el desafuero de Neruda y los Tribunales de Justicia ordenan su detención. Se hace evidente, entonces, que la solicitud de auxilio de Neruda, presentada el 27 de enero al Embajador de México en Santiago, D. Pedro de Alba, estaba fundada en temores reales. En diversos países se promueven veladas de homenaje y actos de protesta; se editan sus poemas en Francia, en Estados Unidos, en la U.R.S.S., en Inglaterra y se envían notas y cartas de protesta al Gobierno de Chile. Los intelectuales y artistas de México se dirigen al Presidente de la Suprema Corte de Justicia de Chile y solicitan la anulación del desafuero de Pablo Neruda; firman el petitorio Alfonso Reyes, Enrique González Martínez, Vicente Lombardo Toledano, José Gómez Robleda, Martín Luis Guzmán, Luis Cataño Morlet, Diego Rivera, Angel Alanís y Fuentes, Aurelio Manrique, Frida Kahlo, David Alfaro Siqueiros, Leopoldo Méndez, A. Bracho, José Rogelio Alvarez, José Revueltas, José Alvarado, Mario Gil y Enrique Ramírez y Ramírez.[17] Pero la única salida eficaz para Neruda es la huída y el poeta huye y se oculta:

Por la alta noche, por la vida entera,
de lágrima a papel, de ropa en ropa,
anduve en estos días abrumados.
Fuí el fugitivo de la policía:
y en la hora de cristal, en la espesura
de estrellas solitarias,
crucé ciudades, bosques,
chacarerías, puertos,
de la puerta de un ser humano a otro,
de la mano de un ser a otro ser, a otro ser.[18]

Los versos citados corresponden al pórtico de "El fugitivo", poemas que forman la sección X del *Canto general* y en los cuales Neruda relata la odisea del poeta fugitivo. En su conferencia "Viaje de vuelta" hay otros detalles de la huída y sus altibajos:

Esto hace ya cuatro años. Pasé por Temuco a mediodía, no me detuve en ningún sitio, nadie me reconoció, llevaba barba y anteojos y me disponía a salir de Chile. Por simple azar era mi ruta de salida.[19]

Y luego la azarosa travesía por la cordillera nevada:

No había ruta, había que hacerla y marcar en los

troncos de los árboles, con hacha, el camino para que pudieran volver los que me acompañaban. Pero la selva era espaciosa y mullida, como un salón. Los grandes árboles sólo dejaban espacio para el paso de las cabalgaduras. Arriba se cerraban los árboles. Más lejos, los árboles eran bajos y achaparrados. Eran los árboles que reciben la nieve y era extraño verlos desde la altura como miles de pequeños paraguas. De pronto, todo se hacía abrupto, todo se volvía piedra, barrancos, ríos vertiginosos, todo había que pasarlo. Todo había que vencerlo.

Más lejos cambió el paisaje. Ya bajábamos del otro lado, y en el último árbol de Chile escribí con mi cuchillo mi despedida: unas iniciales. Bajamos de los caballos. Todo era verde y un agua plácida surgía de los arroyos argentinos . . .

Más tarde, crucé la pampa; caminé hacia el norte, navegué hacia el este, volé hacia el sur.[20]

Pero hasta la fecha de su salida de Chile —el 24 de febrero de 1949— ha transcurrido un año, un año de ostracismo forzoso en su propio país, un año durante el cual vive oculto esquivando a la policía que lo persigue; durante ese año, "en la persecución, cantando bajo las alas clandestinas de mi patria", Neruda termina su *Canto general*, el 5 de febrero de 1949, "en Chile, en 'Godomar de Chena', algunos meses antes de los cuarenta y cinco años de mi edad".[21]

¿Dónde está Neruda? Su paradero es una incógnita hasta el 25 de abril, cuando asiste al Primer Congreso Mundial de Partidarios de la Paz en París. Al salir de su patria Neruda inicia un exilio impuesto que durará tres años y medio. Durante este lapso de tiempo el poeta viaja por Europa, Asia y América. En junio de 1949 viaja por primera vez a la Unión Soviética y asiste a los festejos del 150 aniversario del nacimiento de Pushkin:

Yo acudí a una cita con un viejo poeta muerto hace cien años: Alejandro Pushkin, autor de *Boris Godunoff*, autor de tantas inmortales leyendas y novelas.[22]

Visita, luego, Leningrado:

Ahora bien, quiero que comprendáis que Leningrado estuvo dos años bajo los cañones del enemigo, enteramente sitiada y cortada por todas partes. No había luz. La ración de pan era de quince gramos al día, y el doble para los soldados, como único alimento. He visto en el museo cómo las suelas de zapatos conservaban la huella de los dientes.[23]

Viaja a Stalingrado:

Y así también visité Stalingrado. Allí me condujeron mis antiguos cantos de amor a la ciudad heroica, y ví también allí crecer la nueva ciudad blanca y radiante, desde sus ruinas, y así como antes salieron armas para su defensa, vi montarse frente a mis ojos, pieza por pieza, los tractores, y salir hacia los campos con su profundo mensaje de fecundidad. Y entonces escribí mi tercer canto a Stalingrado.[24]

Visita también Polonia y Hungría y en Budapest asiste, invitado por el Gobierno húngaro, al Centenario del poeta nacional Sandor Pettófi. En agosto de aquel año —1949— viaja a México donde participa, como una de las figuras centrales, en el Congreso Latinoamericano de Partidarios de la Paz. El 3 de abril del año siguiente aparece en México la primera edición de *Canto general* en una tirada limitada de 500 ejemplares. De México, Neruda viaja a Guatemala como huésped del Gobierno guatemalteco y el eco de su visita está reflejado en el folleto *Neruda en Guatemala.* Desde entonces Neruda ha hecho innumerables viajes por Europa y Asia: Rumania, Hungría, Italia, Francia, India, Ceylán, Checoeslovaquia, Polonia, Alemania, U.R.S.S., China Mongolia, Capri, Dinamarca; durante sus visitas participa en congresos, ofrece recitales, pronuncia conferencias, recibe premios, honores y homenajes. El 12 de agosto de 1952 Neruda retorna a su patria después de tres años y medio de destierro en tres continentes; en *Las uvas y el viento*, editado en Santiago en 1954, Neruda recoge su poesía escrita durante sus innúmeros viajes por el Asia y Europa:

> Yo fuí cantando errante
> entre las uvas
> de Europa
> y bajo el viento,
> bajo el viento en el Asia.[25]

El mismo año la Editorial Losada publica en Buenos Aires el primer volumen de *Odas elementales* al que seguirán *Nuevas odas elementales* —1956—, *Tercer libro de las odas* —1959— y un cuarto libro de odas bajo el nombre de *Navegaciones y regresos* —1960—. Alternando con los libros de odas aparecen *Estravagario*, 1958, *Cien sonetos de amor*, 1959, *Las piedras de Chile*, 1961, *Cantos ceremoniales*, 1961, y *Plenos poderes*, 1962.

2. La conversión poética de Pablo Neruda

Hasta *España en el corazón* el gran tema de la poesía de Neruda es su recalcitrante soledad. Al comienzo, embelesada en sí misma, complaciéndose, como Narciso, en su propia imagen, esta soledad encuentra un paliativo en el amor y los sueños. Posteriormente todos los bálsamos se tornan ineficaces; la soledad se reconcentra hasta acidularse en una angustia que devora al poeta y a su poesía. La muerte corretea por todas las cosas transformando a las ciudades en cementerios y a las casas en tumbas. En este mundo de defunciones, "en donde nada cae, sino sólo la muerte, nada más que la muerte", el poeta es "un subterráneo solo, una bodega con muertos" y, aterido, se muere de pena. En España le toca vivir a Neruda la rebelión falangista contra la República y luego la tragedia de la guerra. "Entre 1930 y 1940 no hubo suceso que incitara a escribir mayor cantidad, y calidad, de poesía de temple social y revolucionario que esa guerra (1936-1939); y en esa poesía lucen no sólo nombres de tanta altura como los de Rafael Alberti o Miguel Hernández y cien españoles más, como era natural, sino también fuera de la Península, muchos como los de Paul Eluard y Louis Aragón en Francia, Stephens Spender, Wystan Hugh Auden o Cecil Day-Lewis en Inglaterra, Bertold Brecht entre los poetas de lengua alemana, y una verdadera pléyade hispanoamericana de norte a sur del continente, desde Nicolás Guillén en Cuba hasta Pablo Neruda en Chile".[26]

Pero la guerra española representa para Neruda algo más que un motivo nuevo para su poesía; es la causa de una conmoción personal que lo enfrenta por primera vez con el drama de su tiempo. El fuego de la guerra quema su "casa de las flores", mata a Federico y abre en las calles un reguero de sangre de niños, ¿escribir sobre "los jóvenes homosexuales" y "los atardeceres del seductor?" Neruda comprende la imposibilidad de seguir su marcha "con paso de lobo", hollando soledades y tinieblas, con la muerte por retinas, trayendo al mundo "sueños despedazados por implacables ácidos". Cada gota de sangre es un dedo que señala al poeta: el destino humano y la suerte de España no pueden comprenderse desde un reloj desvencijado; cambiará, pues, la hora del lobo por la hora de los hombres y esa hora de los hombres es también, ahora, la hora del poeta:

                . . . la hora
alta de tierra y de perfume, mirad este rostro
recién salido de la sal terrible,
mirad esta boca amarga que sonríe,
mirad este nuevo corazón que os saluda
con su flor desbordante, determinada y áurea.[27]

"Un nuevo corazón" es tal vez la mejor explicación del cambio operado en la poesía de Neruda. Su viejo corazón de poeta de soledades se ahogaba en su propia angustia hasta convertirse en "bodega de muertes" y embalse de desgracias; el poeta se muere de tristeza y escribe para salvarse en el verso; éste, pues, aflora transido de esa muerte que lo llena. En la poesía de *Residencia en la Tierra* esta angustia recorre todas las galerías del dolor hasta encontrarse encerrada en una cámara de estalactitas de amargura donde cada palabra es una lucha con la muerte; el poeta declara exhausto: "Sucede que me canso de ser hombre". Pero esta poesía en su intensidad y en su riqueza expresiva nos sacude y nos aproxima a la autenticidad de un dolor, que por ser humano, nos conmueve. En "Las furias y las penas", escrito en 1934, antes de la "conversión", el poeta busca en las aguas sexuales un escape a su agonía; esta actitud es frecuente en *Residencia en la Tierra*, sólo que ahora su desesperación alcanza un paroxismo que enturbia el verso con obscenidades y basuras hasta extenuarlo en una promiscuidad en la cual hasta el deseo aparece "interminablemente exterminado". La carne se prostituye sin el fuego del deseo y por eso las imágenes emergen de un agotamiento que pareciera agotar también el verso y minar su efectividad. La prostituta es el blanco de las furias y los reproches:

> ¿En donde te desvistes?
> En un ferrocarril, junto a un peruano rojo
> o con un segador, entre terrones, a la violenta
> luz del trigo?
> ¿O corres con ciertos abogados de mirada terrible
> largamente desnuda, a la orilla del agua de la noche?[28]

Las fealdades repartidas aquí y allá sólo consiguen aumentar ese sentimiento de desesperado cansancio que hace al verso convulso, asfixiante y enfermizo: "las calles donde la gente orina", "batalla de agonizantes bestias", "ruedas por el suelo manejada y mordida", "lluvias de estiércol machacado', "el terciopelo cagado por las ratas", "la cama cien veces ocupada por miserables parejas". ¿No es, pues, una bendición para la poesía de Neruda ese nuevo corazón que como flor desbordante se abre a la claridad? ¿No es una bendición el haber salido de la "sal terrible" de la soledad para ascender a la alta tierra de los hombres y la vida compartida? España, pues, ilumina su poesía y rasga ese canuto de sombras en el cual el poeta muere su propia muerte. Sólo ahora, ante la posibilidad de la vida, cuando el mundo le descubre "el color desnudo de la manzana", el poeta y el

hombre pueden asomarse a la vieja morada funeraria y ver
al poeta de luto devorándose y destruyéndose:

. . . fuí por calle y calle y río y río,
y ciudad y ciudad y cama y cama,
y atravesó el desierto mi máscara salobre,
y en las últimas casas humilladas, sin lámpara, sin fuego,
sin pan, sin piedra, sin silencio, solo,
rodé muriendo de mi propia muerte.[29]

Porque, ¿adónde conduce esta obstinada visión de soledad
irrompible y de destrucción, ella sóla inmortal, adónde lleva
esta desesperada poesía, sin prójimo y sin Dios? —pregunta
Amado Alonso[30] aludiendo a la poesía de Neruda anterior
a su conversión, para respondernos:

No han faltado tres o cuatro poetas superrealistas
que acudieron a la escapada del suicidio. Pablo Neruda
no estaba ciego del peligro:

Y para quién busqué este pulso frío
sino para la muerte?

Pero justamente y a tiempo, Pablo Neruda se ha es-
capado de su terrible tela de araña gracias a una total
conversión. No una conversión a Dios, sino al prójimo.[31]

En el prójimo, en sus dolores y alegrías, encuentra Neruda
sus propios dolores y alegrías; en las tribulaciones, luchas y
derroteros del prójimo, Neruda descubrirá su propia identidad. "La sombra que indagué ya no me pertenece" —dirá
más tarde, ahora:

Entre los seres, como el aire vivo,
y de la soledad acorralada
salgo a la multitud de los combates . . .[32]

Su participación en los combates, específicamente en la lucha del pueblo español, tiene un carácter voluntario: es un soldado intelectual sin filiación de partido. Su partido es la justicia, es el partido de los niños asesinados y de las madres de los milicianos muertos. Así lo declara públicamente el poeta en su conferencia sobre Federico García Lorca pronunciada en París en 1937:

No soy político ni he tomado nunca parte en la contienda política, y mis palabras, que muchos habrían deseado neutrales, han estado teñidas de pasión. Comprendedme y comprended que nosotros, los poetas de América Española y los poetas de España, no olvidaremos nunca el asesinato de quien consideramos el más grande entre nosotros, el ángel de este momento de nuestra lengua.[33]

Y luego, cuando llega a Santiago en 1937, hace estas declaraciones a la prensa:

Yo no soy comunista. Ni socialista. Ni nada. Soy, simplemente, escritor. Escritor libre, que ama la libertad con sencillez. Amo al pueblo. Pertenezco a él porque de él vengo. Por ello soy antifascista. Mi adhesión al pueblo no peca de ortodoxia ni de sometimiento.[34]

Está contra los forajidos de la "Escuadra Negra" que troncharon la vida de Federico "y con sus pies echaron tierra encima de sus heridas"; está contra los carceleros de Miguel Hernández; está contra "los lobos que quieren devorarse a Rafael Alberti" y contra todos los enemigos y usurpadores de la República. Ahora bien, ya se sabe que en torno a la República se agruparon los elementos más liberales de la política española y, sobre todo, las izquierdas de todos los matices; el contacto político de Neruda con la izquierda y luego con el comunismo no se establece a través de un puente partidista o ideológico con estas fuerzas, sino por intermedio de esa sangrienta epopeya del pueblo español por su libertad. No se trata de este o aquel partido, de estas o aquellas ideas políticas, se trata más bien de la sangre derramada y de su voz clamando por justicia. Luego encontrará Neruda una bandera y un partido bajo el cual se enrola y en el cual inicia su carrera política; en España, el poeta descubre que los males de la Tierra no son una maldición de los cielos, sino el producto de la iniquidad y los intereses humanos. Así, por ejemplo, en "España pobre por culpa de los ricos" nos explica la pobreza de España:

España dura, país manzanar y pino,
te prohibían los vagos señores:
A no sembrar, a no parir las minas,
a no montar las vacas, al ensimismamiento
de las tumbas, a visitar cada año
el monumento de Cristóbal el marinero, a relinchar
discursos con macacos venidos de América,
iguales en "posición social" y podredumbre.[35]

Por eso cuando en España "cae ceniza, cae hierro, cae piedra y muerte y llanto y llamas", cuando España se quema, no podrá el poeta seguir recogido en su oscuridad de murciélago; sale, pues, de su guarida de sombras y hielos para "juntar sus pasos de lobo a los pasos del hombre":

. . . ya era tiempo, huid
sombra de sangres,
hielos de estrella, retroceded al paso de los pasos humanos
y alejad de mis pies la negra sombra![36]

"Reunión bajo las nuevas banderas" es, a manera de pórtico, el poema que nos introduce a la nueva poética de *España en el corazón;* es la autoexégesis de la conversión poética de Neruda y, en su nueva poesía, ésta se transforma en uno de los temas favoritos. La poesía de Neruda abandona los antros oscuros de la inconsciencia para elevarse a la claridad de la conciencia y desde este nuevo plano su vieja poesía se le revela como una cueva de sombras y cenizas. España es la salida de esa gruta de muerte y, sólo ahora,

cuando la luz reverbera en ese "cristal de copa", se torna
visible lo que hasta la víspera fuera acre opacidad:

> Fundé mi pecho en ésto, escuché toda
> la sal funesta: de noche
> fuí a plantar mis raíces:
> averigüé lo amargo de la tierra:
> todo fue para mí noche o relámpago:
> cera secreta cupo en mi cabeza
> y derramó cenizas en mis huellas.[37]

España hace conciente a Neruda de su poesía y de sus deberes de poeta y abre en su lírica ese nuevo cauce que su
verso recorrerá en todas sus latitudes: la poesía social. "La
poesía social —dice Pedro Salinas— es la originada por una
experiencia que afecta al poeta no en aquello que su ser
tiene de propio y singular, de inalienable vida individual,
sino en ese modo de su existencia por el cual se siente perteneciendo a una comunidad organizada, a una sociedad, donde
sus actos se aparecen siempre como relativos a los demás".[38]
Es claro que el término "poesía social" es demasiado genérico
y el mismo Salinas distingue diferentes modos de poesía
social: modo histórico, modo nacional, modo político y modo
humanitario. Definir la poesía de *España en el corazón* en
uno de estos modos sería difícil y pecaría de mecánico; hay
algo del modo político en la identificación de Neruda con
la causa del pueblo español y la defensa de la República,
pero por sobre todo domina un hondo humanismo, si por
éste entendemos las aspiraciones de justicia y libertad de todo
el género humano.

El vuelco de Neruda hacia la poesía social lejos de
menguar su calidad poética la dignifica y enaltece; en un
mundo que arde y se desangra, ¿hay para la poesía una actitud más humana que la de expresar los dolores del corazón
sufriente?, ¿hay función más noble para la poesía que la de
ser una palabra generosa para las madres enlutadas? En
aquella "España fusilada" que lucha por su libertad, ¿hay
otra tarea para la poesía que la de ser canto de los héroes y
"una espada llena de esperanzas" para el vencido? Así lo

comprende Neruda; en su "Invocación" ya está enunciada la arcilla de su nuevo canto:

> . . . un canto inmenso, de un metal que recoja
> guerra y desnuda sangre.
> España, cristal de copa, no diadema,
> si machacada piedra, combatida ternura
> de trigo, cuero y animal ardiendo.[38]

Los poemas subsiguientes trazan, desde diferentes ángulos, una imagen de la España de la guerra. No es ésta, claro está, una "serena y objetiva" descripción de crónica; los poemas fueron escritos cuando la metralla aún resonaba en los oídos del poeta y la sangre "dejaba estelas en las calles". Por ello, junto a las cenizas y muerte de "Bombardeo" hay maldiciones traspasadas de odio y de rabia:

> . . . Malditos sean,
> malditos, malditos los que con hacha y serpiente
> llegaron a tu arena terrenal, malditos los
> que esperaron este día para abrir la puerta
> de la mansión al moro y al bandido:
> ¿qué habéis logrado? Traed, traed la lámpara,
> ved el suelo empapado, ved el huesito negro
> comido por las llamas, la vestidura
> de España fusilada.[39]

Luego, para aquellos que ante la nueva y fogosa modalidad del verso de Neruda se preguntan extrañados:

> . . . y donde están las lilas?
> Y la metafísica cubierta de amapolas?
> Y la lluvia que a menudo golpeaba
> sus palabras llenándolas
> de agujeros y pájaros?[40]

el poeta les cuenta la historia de su "casa de las flores", de su barrio de Arguelles, del Madrid de las campanas y los árboles, del rostro seco de Castilla y de la vida derramada a raudales en calles y mercados. "Y una mañana todo estaba ardiendo", entonces el poeta repite la pregunta, pero esta vez con una acritud que insinúa su respuesta inevitable y seca como un martillazo:

> ¿Preguntaréis por qué su poesía
> no nos habla del sueño, de las hojas,
> de los grandes volcanes de su país natal?
>
> Venid a ver la sangre por las calles,
> venid a ver
> la sangre por las calles,
> venid a ver la sangre
> por las calles![41]

A las madres de corazones quebrantados dice el poeta: "tened fe en vuestros muertos", y se esfuerza por traer un hilo de esperanza a esos corazones ahogados en lágrimas. Sobre aquellos ojos hundidos en el luto deja caer esta gota de luz:

> ¡No han muerto! Están en medio
> de la pólvora,
> de pie, como mechas ardiendo.
> --------------------
> ¡Madres! Ellos están de pie en el trigo,
> altos como el profundo mediodía,
> dominando las grandes llanuras.[42]

3. Sobre la forma de la nueva poesía

El problema de esta nueva poesía social de Neruda, como el de toda poesía, es el tránsito del material poético —en este caso la experiencia vivida en España— a una forma que lo refleje fehacientemente, transformando la intuición poética en creación artística. En los capítulos anteriores hemos señalado la natural correspondencia entre la intuición poética y la forma que la contiene en el verso de Pablo Neruda; hemos visto que a lo largo de su trayectoria poética, Neruda ha buscado y encontrado siempre la forma más adecuada al contenido de su poesía. Decíamos: esta correspondencia entre la sensibilidad y su expresión adecuada es uno de los rasgos permanentes de la poética de Neruda; la forma está siempre atenta a los cambios en el contenido y cada nuevo hallazgo de su sensibilidad corresponde a una nueva etapa de su evolución poética; y agregábamos: en su posterior poesía social, por ejemplo, el hermetismo de *Residencia en la Tierra* se abre para adoptar un tono casi didáctico.[43] Ahora bien, el peligro que amenaza al verso de Neruda en su nueva modalidad social reside en el interés intrínseco que anima a toda poesía social por llegar al mayor número de lectores que forman esa comunidad cuyas experiencias se expresan. Neruda "conversa ahora no con algunos iniciados en los secretos del oficio, sino con las multitudes, con el artesano, el labriego, el marinero, el obrero y el soldado";[44] le interesa, pues, no perder contacto con el lector sencillo que no puede penetrar en los misterios de una imaginería sobreelaborada. Pero la obra de arte exige, precisamente, la elaboración cuidadosa, el embellecimiento de las formas, la profundización del lenguaje; en una palabra: una visión diferente, más clara por lo profunda, del objeto poetizado. Por otro lado, la estructura del verso, como la de todo arte, está regida por leyes que no pueden ser ignoradas ni desatendidas; si así se hace, la arquitectura del poema, sin equilibrio y sin solidez, se tambalea y degenera en prosa o en algo que no es poesía.

La pregunta que cabe formular es si, en la nueva poesía social, Neruda ha superado el peligro y ha encontrado la deseada armonía entre materia y forma, entre intuición y creación. Al hablar del problema de la forma en la poesía de *Residencia en la Tierra* decíamos que a pesar de las visiones caóticas empleadas en el poema y de la multiplicidad de elementos imagísticos tomados de las más diversas esferas de la realidad, todos ellos convergían a configurar un determinado estado sentimental; de esta manera, la coherencia del poema se lograba gracias a una unidad de pensamiento poético: hasta lo más desbocado de esa imaginería confluye, finalmente, en esa corriente sentimental que constituye la espina dorsal del poema. En *España en el corazón* reconocemos los materiales de la cantera nerudiana: la metáfora audaz y el símil inesperado, la anáfora y la enumeración, lo inmaterial es presentado como material y lo genérico particularizado; en cambio, ha desaparecido el procedimiento de "membra disjecta" para expresar su visión de desintegración de la realidad, ya no tiene lugar la presentación de lo comparativo prescindiendo de lo comparado para conferir un sabor onírico a su fantasía y ,en general, lo caótico de la imaginería tiende a un cierto orden y homogeneidad. Los poemas de *Residencia* —por su forma— nos dan la idea del "collage" de la pintura moderna, en el sentido de que la diversidad caótica de materiales usados se ordena solamente a través del sentimiento poético o imaginativo que se quiere estructurar; en cambio los poema de *España en el corazón* se acercan más al fresco del Renacimiento italiano o al mural mexicano, no sólo por la magnitud temática, sino también por la sensación cósmica conseguida en poemas como "Cómo era España", en el cual una tirada de ciento veinticuatro nombres de pueblos españoles —"bellamente elegidos" nos dice Serrano Plaja—,[45] dispuestos en catorce cuartetos, trazan una feliz imagen de esa "España tirante y seca, diurno/tambor de son opaco,/llanura y nido de águilas, silencio/de azotada intemperie".[46]

"La misma voz poética es reconocible en la nueva poesía, aunque cambiada de tono", nos dice Amado Alonso.[47] Es decir, Neruda ha conservado su calidad poética en su nueva poesía de corte social. Basta leer algunos de sus más logrados poemas para reconocer y reencontrar el linaje del verso nerudiano, ahora hecho soldado, combate, llanto, epopeya o himno. Todos los poemas tienen una unidad temática y a ella se articulan, orgánicamente, símiles y metáforas; los títulos, suerte de indicaciones marginales, son, a manera de brida, un freno que sujeta la fantasía del poeta orientándola y regulando su marcha a los dictados del tema.

En otros poemas, el cuidado por la claridad por un lado y la necesidad de explicar, que naturalmente anima a la poesía social, por el otro, "le hacen con frecuencia aflojar la tensión poética y dar a su verso andares prosísticos".[48] Ya sabemos que éste es el peligro de toda poesía social: sus temas son abordables también —y a veces con más efectividad— por la prosa en sus diferentes formas: el discurso, el panfleto, el manifiesto, la crónica, el ensayo, etc. Este peligro acecha en menor escala a la poesía lírica cuyo ámbito es lo personal y cuyos motivos tienden a desvirtuarse en la prosa o, en el mejor de los casos, actúan a la inversa y la poetizan. Pero esto no significa que debamos anular o rechazar, como muchos lo han intentado, los valores y posibilidades de la poesía social. Poetas como Dante y Quevedo cultivaron la poesía social en su modo político con resultados que nadie osaría poner en duda. Y es que, en verdad, el motivo más prosaico puede ascender hasta las alturas más líricas cuando está tratado por una maginación alada y una sensibilidad aguda. Piénsese en el Darío de *Cantos* expresando en un solo verso toda la intensidad de una inquietud continental ante el poderío creciente de los Estados Unidos en la época del "big stick":

¿Tantos millones de hombres hablaremos inglés?

El problema reside, pues, no en el tema, que a las veces puede no ayudar, sino en el artista. El mismo tema puede inspirar un bello poema o abortar mazocotes de prosa en verso.

Ahora bien, el poeta cultiva aquellos temas que le son más cercanos, a los cuales su sensibilidad está más estrechamente ligada, sobre todo en poetas como Neruda de prosapia romántica; cuando elige —por compromiso o por encargo o por la causa que fuere— un tema ajeno a su sensibilidad, el resultado es, a lo sumo un fantoche bien pintado, pero desposeído de todo aliento vital. Sólo tras "la obra profunda de la hora" Darío escribe en 1905 su oda "A Roosevelt"; hasta la víspera Darío es "el poeta del verso azul y la canción profana". Esa hora le llega a Neruda en España, como ya lo hemos señalado; España está ahora tan cerca de su corazón como antes lo estuvo la soledad. Sólo cuando la tragedia de la guerra española gana su sensibilidad Neruda escribe sus primeros poemas de contenido social.

En esta nueva poesía hay caídas prosísticas, pero las

más de las veces el verso de Neruda mantiene su potencia verbal, se enardece, se violenta, acusa e impresa. "Quevedo, antes y ahora su antepasado poético más directo, parece haberle prestado su léxico de estallidos, especialmente el asqueroso y caricatural" —nos dice Alonso.[49] Por otro lado, el tema 'hace retornar a Neruda a las formas tradicionales; del versolibrismo casi absoluto que domina su *Residencia en la Tierra*, Neruda vuelve a la estrofa mesurada y a su metro favorito, el endecasílabo. En endecasílabos agrupados en cuartetos está escrito su bello poema "Batalla del río Jarama", cerrando cada estrofa con un heptasílabo. Este poema es una muestra acabada de verdadera poesía; con esa plasticidad antonomástica en Neruda, el poema encuentra siempre una forma visualisable en la cual se expresa la idea poética. Así el río Jarama, acosado "entre hierro y humo", es "una rama de cristal caído", o "una larga línea de medallas para los victoriosos"; el pueblo defendiendo junto al río aparece reflejado en esta feliz estrofa:

La áspera harina de tu pueblo estaba
toda erizada de metal y huesos,
formidable y trigal como la noble
tierra que defendían.[50]

para concluir el poema con una humanizada imagen del paisaje rivereño, que es un cuajo de poesía:

Allí quedan tu cielo doloroso,
tu paz de piedra, tu estelar corriente,
y los eternos ojos de su pueblo
vigilan tus orillas.[51]

Arturo Serrano Plaja llama al poema excepcional y comentando algunos de sus versos nos dice:

En estos versos, junto a su encendido anhelo por nuestra causa, tiembla, gozosamente vertida a esa imaginación peculiarísima de toda la poesía de Neruda, esa dominación del lenguaje en la que, incorporado, queda, lleno de arrastre, un mundo raro de cosas y sucesos mezclados bajo una luz extraña que es la de su inspiración.[52]

Pero es en "Canto sobre las ruinas" donde la fuerza lírica de Neruda desborda con todo su caudal poético. La visión lúgubre de unas ruinas —el poeta no especifica cuales ni donde porque pudo haber sido cualquier rincón de España arrasado por la guerra— inspiran este poema que mejor que ninguno expresa el absurdo de la guerra y la tragedia de la destrucción. "Las formas del mundo" que van apareciendo como "el botón o el pecho se levantan al cielo"; todo aquello que es obra del brazo humano, levantado tras la paciente laboriosidad de siglos y generaciones, creado con la fuerza constructiva del músculo y la ilusión del sueño:

. . . profundas materias
agregadas y puras: ¡cuánto hasta ser campanas!
¡cuánto hasta ser relojes! ¡Aluminio
de azules proporciones, cemento
pegado al sueño de los seres![53]

"Todo ha ido y caído/brutalmente marchito"; la puerta que el hombre ha construído no se abrirá jamás. "Mejillas, vidrios, lana, alcanfor, círculos de hilo y cuero,/todo por una rueda vuelto al polvo,/todo caído para no nacer nunca". A través de la enumeración caótica de los remanentes dispersos y destruídos, Neruda intensifica el sentimiento de destrucción hasta crear una sensación de caos y de nada, una atmósfera de hora cero. En las dos últimas estrofas, el contraste abismal y trágico entre la paz fecunda, por un lado, y la devastación estéril de la guerra por el otro, está simbolizado en bellas metáforas y el dejo elegíaco que se desprende de ellas palpita en todo el poema. Así, las épocas de polen y racimo son "palomas con cintura de harina" o "una fragante novia": símbolos de la vida en su natural euforia; mientras la hora del exterminio está objetivizada en "la madera destrozada hasta llegar al luto", en "el mármol deshecho", en la alegría de la novia destrozada:

Ved cómo se ha podrido
la guitarra en la boca de la fragante novia:
ved cómo las palabras que tanto construyeron,
ahora son exterminio: mirad sobre la cal y entre el
/mármol deshecho
la huella —ya con musgos— del sollozo.[54]

Todo el poema está recorrido por una tristeza que en su
auténtica hondura se abre en un lamento de amargo pesi-
mismo ante la fragilidad de la vida:

. . . no hay raíces
para el hombre: todo descansa apenas
sobre un temblor de lluvia.[55]

En el poema siguiente, el canto endechado retorna al
tono combativo animado por la fe en la victoria de la vida;
el poeta parece recordar de pronto, tras el minuto medita-
tivo, que el combate por la vida se está librando todavía y
que la cavilación y el llanto, aunque humanamente inevitables, son inefectivos en la trinchera. Entre las cenizas y el
luto emerge radiante la esperanza, mostrando su turgencia
luminosa:

Mas, como el recuerdo de la tierra, como el pétreo
esplendor del metal y el silencio,
pueblo, patria y arena, es tu victoria.[56]

Recordará una vez más "el paisaje mordido" después
de una batalla, "la aspereza de la luna", "las herraduras rotas
y heladas", "el humo de enterradores", "el nimbo de nitratos
quemados y comidos", 'el frío sonoro", no como plañido
irremediable sino como eternos recordadores del paisaje enlu-
tado, lacerados testigos que no dejarán que se olvide el
holocausto:

Guárdenlo mis rodillas enterrado
más que este fugitivo territorio,
agárrenlo mis párpados hasta nombrar y herir,

guarde mi sangre este sabor de sombra
para que no haya olvido.[17]

Hay luego una evocación del Madrid de 1937, sin luz ni pan, de "sus casas quemadas,/desangradas, vacías, con puertas hacia el cielo,/de la "ciudad de luto, socavada, herida,/rota, golpeada, agujereada, llena/de sangre y vidrios rotos, toda/noche y silencio y estampido y héroes". El poemario termina con una "Oda solar al Ejército del Pueblo"; es un saludo a los fotógrafos, mineros, ferroviarios, aviadores: dedos de una sola mano —el pueblo español— crispados, ahora, en un puño de soldado cuyo perfil levantado, en desafío, se amalgama con la imagen de España:

. . . adelante, España,
adelante, campanas populares,
adelante, regiones de manzana,
adelante, estandartes cereales,
adelante, mayúsculos del fuego,
porque en la lucha, en la ola, en la pradera
en la montaña, en el crepúsculo cargado de acre aroma,
lleváis un nacimiento de permanencia, un hilo
de difícil dureza.[58]

4. Resumiendo

Cuando la poesía de Neruda alcanza uno de los puntos más altos de su expresión creadora con *Residencia en la Tierra,* su verso ha recorrido una vía crucis de soledades, angustias y desesperación. En España, cuando el verso de Neruda se asomaba desorbitado al abismo de su propio calvario, la rebelión falangista y la lucha del pueblo español por su libertad sacuden al poeta y a su poesía; su verso deja de ser el alambique de sus dolores y amarguras para transformarse en himno, oda y saludo. Al liberarse de su propia cruz, el poeta encuentra nuevos deberes para su poesía: se hace soldado de la lucha social que envuelve al pueblo español y ahora su verso canta loores y vomita imprecaciones. La poesía de Neruda cambia porque el poeta ha cambiado.

Nos interesa ahora plantear la pregunta que más directamente nos concierne: con la conversión de Neruda, ¿ha ganado su poesía en intensidad o, por el contrario, esta nueva modalidad poética la ha aligerado? El error de una gran parte de la crítica reside en juzgar su poesía en función de sus ideas políticas; los camaradas de partido de Neruda se transforman en sus turiferarios y lo llenan de ovaciones más que por su poesía por su filiación política, aplaudiendo hasta sus desaciertos sólo porque en ellos se refleja el poeta "endoctrinado y comprometido". Aquellos que no se avienen con sus ideales políticos atacan su nueva poesía, condenando hasta sus más relevantes aciertos poéticos sólo porque disienten de su actitud política. Unos y otros han centrado la discusión no en su poesía como tal, sino en la posición política del poeta. Andrés Iduarte, en su recensión de *Tercera Residencia* publicada en la *Revista Hispánica Moderna*, plantea el problema en sus cabales y advierte:

> No hagamos el agravio de ver a su poesía —a pesar de que nazca de una tragedia política, la española, y de que esté al servicio de sus ideas políticas— como política. Es eso exteriormente, pero sigue siendo poesía, como Neruda lo sabe y lo quiere, y como seguiría siendo aunque amigos y enemigos de Neruda se empeñaran en lo contrario.[19]

Y este carácter de auténtica poesía, por encima de cualquiera otra apreciación de índole política, es el que aquí nos interesa.

La nueva modalidad estética de Neruda no es el resultado de un gesto o una actitud intelectual o de un afán calculado por encontrar algo diferente para su poesía. Tampoco es una salida a ninguna impotencia; ya hemos visto que hasta la víspera de su conversión Neruda ha alcanzado uno de los puntos más altos de su poesía. Menos aun pleitesía a ningún credo político. En su poesía anterior a la conversión, Neruda, más que responder a las modas literarias en boga —aunque no las desconoce—, está atento sobre todo a las voces de su propia sensibilidad: Los trueques estéticos en su poesía corresponden a mutaciones en el desarrollo de su sensibilidad; su poesía social proyecta, también ahora, los embates de su sensibilidad. El contenido de *España en el corazón* es emocional más que intelectual, vivido más que ideológico. "Comunista se declara esta nueva poesía, pero no busquéis en ella ni rastros de doctrinas marxistas; lo que la anima es una fiera indignación por lo que los ricos hacen con los pobres, una esperanza de justicia y una sed de vengativo desquite".[60] Porque esta nueva poesía está electrizada por un relámpago de emoción sincera encuentra los caminos y recursos para hacerse materia poética; por la misma razón puede superar lo panfletario y convertirse en poesía.

Podría aducirse que la poesía de *España en el corazón* es un tono menor comparada con la de *Residencia en la Tierra,* lo cual sería legítimo si recordáramos de inmediato que *Residencia en la Tierra* es la culminación de un tipo de poesía que Neruda cultiva desde su primera juventud. Con *España en el corazón,* en cambio, Neruda inicia una nueva modalidad. El tono épico de la poesía social es nuevo para el verso de Neruda acostumbrado al tono lírico-personal; pero de la misma manera que *Crepusculario* y *El hondero entusiasta* representan su poesía de aprendizaje para luego alcanzar con *Veinte poemas de amor* la poesía amatoria que lo consagra y *Tentativa del hombre infinito* constituye el trampolín para su vuelo definitivo en *Residencia en la Tierra, España en el corazón,* primero, y luego *Tercera residencia,* representan el puente para alcanzar uno de los poemas más extraordinarios de la épica americana: *Canto general,* el pináculo de la poesía de Neruda. Neruda, pues, no es de los poetas de los frutos tempranos que tras una creación singular se agotan. El secreto de la impresionante fecundidad de Neruda reside, precisamente, en su crecimiento orgánico, en la evolución gradual e inmanente de su sensibilidad que, con cada nueva face, renueva la forma, el vehículo poético que mejor la contenga, que más efectiva e intensamente la proyecte.

Con los cambios de su sensibilidad cambia también el estilo, pero el trueque no es automático. El nuevo estilo exige un período de adaptación hasta ajustarse completamente a las demandas del nuevo contenido. Sí, es un aprendizaje; pero Pablo Neruda aprende creando y, por ello, si se observa con atención toda la trayectoria de su obra, se encontrará que antes de alcanzar un completo dominio de un estilo determinado, la poesía de Neruda recorre un camino de tanteos y búsquedas, no por ello exentos de valor y calidad poética, pero de tono menor al lado de sus mejores creaciones. Así por ejemplo y para ilustrar lo antedicho, su poesía amatoria, de factura postmodernista, alcanza en *Veinte poemas* su punto más alto; *Residencia en la Tierra* es la culminación de una poesía de soledad y de estructura hermética; la poesía social nos dará en el *Canto general* uno de los más bellos poemas escritos en lengua castellana; finalmente, sus *Odas elementales* son el fruto sazonado de un prolongado esfuerzo de Neruda por alcanzar la sencillez en su lenguaje poético.

En el itinerario poético de Pablo Neruda, pues, no todo es un constante e ininterrumpido ascenso. Al iniciar una nueva modalidad su verso busca acomodarse a las exigencias del nuevo contenido; hay un momento de transición en el cual su nuevo estilo mantiene la calidad en la forma alcanzada en su modalidad anterior, pero no la supera y más bien cabe registrar un descenso; pero, tras un tramo de reaclimatación y reajuste en su nuevo estilo, el verso de Neruda se desgrana en fruto maduro y de irrecusable exquisitez. Tal es la ley de crecimiento del verso nerudiano y tal el eje de su renovada estética.

NOTAS

1.—Pablo Neruda, *Obras completas*. Buenos Aires: Losada, 1962. pp. 255-256.

2.—*Ibídem.*, p. 1828.

3.—Rafael Alberti, *La arboleda perdida*. Buenos Aires: Fabril, 1959. p. 297.

4.—*Ibídem.*, p. 297.

5.—Pablo Neruda, *Obras completas*, p. 585.

6.—El Profesor Andrés Iduarte, que a la sazón residía en España y estaba ligado al poeta por lazos de amistad y camaradería, nos ha suministrado la referida información acerca de la aparición clandestina de Neruda en mítines y reuniones republicanas, cuando todavía su investidura consular le vedaba el libre acceso a asambleas de esta naturaleza.

7.—*César Vallejo; poeta trascendental de Hispanoamerica*. (Su vida, su obra, su significado). Actas del simposium celebrado por la Facultad de Filosofía y Humanidades de la Universidad Nacional de Córdoba. Córdoba, Rep. Argentina, 1963. p. 145 (Talleres gráficos de la Universidad Nacional de Córdoba).

8.—Pablo Neruda, *ob. cit.*, p. 1118.

9.—César Vallejo, *ob. cit.*, p. 143.

10.—*Ibídem.*, p. 144.

11.—Jorge Sanhueza, "Pablo Neruda y las ediciones de sus obras", *Pro-Arte*, No. 174-175. Santiago de Chile, 15-31, julio de 1954.

12.—Pablo Neruda, *Viajes*. Santiago de Chile: Nascimiento, 1955, pp. 70-71.

13.—*Ibídem.*, p. 72.

14.—Pablo Neruda, "Algo sobre mi poesía y mi vida", *Pro-Arte* número cit.

15.—Pablo Neruda, *Viajes*, p. 172.

16.—Pablo Neruda, "Carta íntima para millones de hombres", *El Nacional*: Caracas, noviembre 27 de 1497.

17.—"De paso:" "Mensaje a la Corte Suprema de Chile". *Repertorio Americano*: San José de Costa Rica, julio 20 de 1948.

18.—Pablo Neruda, *Obras completas*, p. 551.

19.—Pablo Neruda, *Viajes*, p. 119.

20.—*Ibídem.*, pp. 120-122.

21.—Pablo Neruda, *Canto general*, p. 675. (*Obras completas*).

22.—Pablo Neruda, *Viajes*, p. 123.

23.—*Ibídem.*, p. 125.

24.—*Ibídem.*, pp. 126-127.

25.—Pablo Neruda, *Obras completas*, p. 679.

26.—Luis Monguió, *La poesía modernista peruana*. México: University of California and Fondo de Cultura, 1954. p. 141.

27.—Pablo Neruda, *Obras completas*, p. 251.

28.—*Ibídem.*, p. 247.

29.—*Ibídem.*, p. 315.

30.—Amado Alonso, *Poesía y estilo de Pablo Neruda*. Buenos Aires: Sudamericana, 1951. p. 320.

31.—*Ibídem.*

32.—Pablo Neruda, *Obras completas*, p. 674.

33.—*Ibídem.*, p. 1832.

34.—Raúl Morales Alvarez, "El arte de mañana será un quemante reportaje hecho de la actualidad". *Ercilla*, vol. III, No. 132,

Año 1937.
35.—Pablo Neruda, *ob. cit.*, p. 253.
36.—*Ibídem.*, p. 250.
37.—*Ibídem.*
38.—Pedro Salinas, *La poesía de Rubén Darío.* Buenos Aires: Losada, 1948. pp. 215-216.
38 (bis).—Pablo Neruda, *ob. cit.*, p. 252.
39.—*Ibídem.*, p. 253.
40.—*Ibídem.*, pp. 254-255.
41.—*Ibídem.*, p. 256.
42.—*Ibídem.*, p. 257.
43.—Capítulo I, p. 63 del presente estudio.
44.—Amado Alonso, *ob. cit.*, p. 323.
45.—Arturo Serrano Plaja, "Pablo Neruda", *Revista de las Españas*: Madrid, 1938, No. 102.
46.—Pablo Neruda, *Obras completas*, p. 258.
47.—Amado Alonso, *ob. cit.*, p. 323.
48.—*Ibídem.*, p. 324.
49.—*Ibídem.*, p. 323.
50.—Pablo Neruda, *ob. cit.*, p. 263.
51.—*Ibídem.*
52.—Arturo Serrano Plaja, *ob. cit.*
53.—Pablo Neruda, *ob. cit.*, p. 267.
54.—*Ibídem.*, p. 268.
55.—*Ibídem.*
56.—*Ibídem.*, p. 268.
57.—*Ibídem.*, p. 270.
58.—*Ibídem.*, p. 274.
59.—Andrés Iduarte, "Tercera residencia de Pablo Neruda". *Revista Hispánica Moderna*, New York, XIII, 1947. pp. 41-43.
60.—Amado Alonso, *ob. cit.*, p. 322.

V. BIBLIOGRAFIA

1. *Ediciones*

Neruda, Pablo. *La canción de la fiesta*. Santiago de Chile: Federación de Estudiantes de Chile, 1921.

————. *Crepusculario*. Santiago de Chile: Revista *Claridad* de la F. E. CH., 1923.

————. *Veinte poemas de amor y una canción desesperada*. Santiago de Chile: Nascimiento, 1924.

————. *Tentativa del hombre infinito*. Santiago de Chile: Nascimiento, 1925.

————. *El habitante y su esperanza* (prosa). Santiago de Chile: Nascimiento, 1925.

————. *Anillos* (prosa). Santiago de Chile: Nascimiento, 1926.

————. *El hondero entusiasta*. Santiago de Chile: Empresa Letras, 1933.

————. *Residencia en la Tierra* (1925-1931). Santiago de Chile: Nascimiento, 1933.

————. *Residencia en la Tierra* (1925-1935). Madrid: Cruz y Raya, 1935.

————. *España en el corazón*. Santiago de Chile: Ercilla, 1937.

————. *Tercera residencia*. Buenos Aires: Losada, 1947.

————. *Viajes al corazón de Quevedo y por las costas del munlo*. Santiago de Chile: Sociedad de Escritores de Chile (prosa), 1947.

————. *Canto general*. México, D.F.: Comité Auspiciador, 1950.

————. *Los versos del Capitán*. Nápoles: Edición privada, 1952.

————. *Odas elementales*. Buenos Aires: Losada, 1954.

————. *Las uvas y el viento.* Santiago de Chile: Nascimiento, 1954.

————. *Viajes* (prosa). Santiago de Chile: Nascimiento, 1955.

————. *Nuevas odas elementales.* Buenos Aires: Losada, 1955.

————. *Tercer libro de las Odas.* Buenos Aires: Losada, 1957.

————. *Estravagario.* Buenos Aires: Losada, 1958.

————. *Cien sonetos de amor.* Buenos Aires: Losada, 1959.

————. *Navegaciones y regresos.* Buenos Aires: Losada, 1960.

————. *Las piedras de Chile.* Buenos Aires: Losada, 1961.

————. *Cantos ceremoniales.* Buenos Aires: Losada, 1961.

————. *Plenos poderes.* Buenos Aires: Losada, 1962.

2. Estudios, artículos y recensiones

Abreu Gómez, Emilio. "Pablo Neruda". San José de Costa Rica: *Repertorio Americano,* 13 de octubre de 1943.

Acevedo, Hugo. "Estravagario" (reseña). Buenos Aires: *Ficción,* XXI (1959), 128-129.

Alberti, Rafael. "Imagen primera de Pablo Neruda". Caracas: *El Nacional,* 14 de enero de 1954.

Alegría, Fernando. "Pablo Neruda". Berkeley: *The Berkeley Review,* I (núm. 2, 1957), 27-41.

Alegría Fernando. "Two worlds in conflict". *The Berkeley Review,* I (núm. 2, 1957), 27-41.

Allende, Tomás. "El mensaje de Pablo Neruda". Lima: *La Prensa,· agosto* 22 de 1943.

Andrade y Cordero, César. "Efigie de Neruda". *Repertorio Americano,* 10 de noviembre de 1949.

Amador, Graciela. "Pablo Neruda. *Repertorio Americano,* 14 de noviembre de 1942.

Arango, Daniel. "Carta a Pablo Neruda". Bogotá: *Revista de las Indias,* XVIII (1943) (núm. 56), 207-216.

Aristeguieta, Jean. "Todo lleva tu nombre (reseña)". Caracas: *Revista Nacional de Cultura,* XXI (1959, núm. 132), 142-143.

Arriaza A., Alfredo. "Grandes poetas de América: Pablo Neruda". El Salvador: *Simiente* (1946, núm. 4), 15-.

Augier, Angel I. "Pablo Neruda". *Repertorio Americano*, 23 de mayo de 1942.

Avalos, Heriberto. "Pablo Neruda". Nueva York: *Nueva York al día*, 23 de octubre de 1948.

Avilés, René. "Pablo Neruda, amigo de sus amigos". México: *El Nacional*, 27 de noviembre de 1949.

————. "Pablo Neruda, poeta de románticos". México: *El Nacional*, 4 de diciembre de 1949.

————. "Pablo Neruda, Residente en la Tierra". México: *El Nacional*, 11 de diciembre de 1949.

Azofeifa, I. F. "Pablo Neruda". *Repertorio Americano*, 8 de junio de 1935.

Barga, Corpus. "El poeta escondido: Una visita a Pablo Neruda", México: *El Nacional*, 3 de octubre de 1948.

Bazán, Armando. "Pablo Neruda". Lima: *Amauta* (1927).

Blanco-Fombona, R. "Pablo Neruda". Londres: *The South American Journal*, CXLV (1949, núm. 18), 210-.

Blasco Garzón, Manuel. "Tercera residencia" (reseña). La Plata: *España Republicana*, 27 de septiembre de 1947.

Brion, Marcel. "Pablo Neruda, poeta chileno". París: *Le Monde*, 8 de julio de 1954.

————. "Residencia en la Tierra". Santiago de Chile: *Sech; Revista de la Sociedad de Escritores de Chile*, I. (1936, núm. 1), 33-34.

Bulnes, Alfonso. "Presentación de Neruda". Concepción: *Atenea*, XXI (1932, núm. 87), 233-237.

Campos, Jorge. "Cuatro grandes poetas de América". Buenos Aires: *Insula*, XVI (1961, núm. 175), 10-.

Capdevila, Arturo. "Pablo Neruda o aquel que se cansó de ser hombre". Buenos Aires: *Nosotros*, octubre de 1936.

Cardona Peña, Alfredo "Lectura de Pablo Neruda". México: *El Nacional*, 25 de junio de 1950.

————. "Fotocharlas: Pablo Neruda". México: *El Nacional*, 20 de agosto de 1950.

Casals, Julio J. "Bienvenida a Pablo Neruda". Montevideo: *A.I.A.P.E.* (Asociación de intelectuales, artistas, periodistas y escritores), X (1945, núm. 42).

Castañeda Aragón, G. "Pablo Neruda habla para Colombia". *Repertorio Americano*, 9 de agosto de 1941.

Castro, José R. "Neruda: dimensión y acento de la americanidad". *Repertorio Americano*, 9 de mayo de 1942.

Cerruto, O. "El mundo de Pablo Neruda". Buenos Aires: *Argentina Libre*, 5 de diciembre de 1940.

Condón, A. "Anillos". Madrid: *La Gaceta Literaria*, 15 de diciembre de 1927.

Coronel, Rafael. "Pablo Neruda". Valparaíso: *La Semana Internacional*, VI (1938, núm. 270), 6-7.

Crema, Eduardo. "La sintáxis en Píndaro y Neruda". Caracas: *Cultura universitaria*, (1947, núm. 3), 68-79.

Cruchaga Santa María, Angel ."España en el corazón de Pablo Neruda es una obra de pólvora, sollozo y angustia". Santiago: *Ercilla*, III (1937, núm. 139), 17-.

————. *Antología de Pablo Neruda; selección y prólogo*. Buenos Aires: Losada, 1946.

————. "Arcoiris del regreso. Pablo Neruda". *Repertorio Americano*, 15 de agosto de 1952. (poesía).

Cuadra, Pablo Antonio. "Dos mares y cinco poetas; la nueva poesía de Hispanoamérica a través de cinco poetas". Jalisco: *Cuadernos universitarios*, XXII, (1955, núm. 66) 338-360.

Chávez, Fermín. "Neruda y su canto épico americano". Buenos Aires: *Capricornio*, julio de 1954.

Dalmore, Liuba. "Dos grandes poetas de Chile". Santiago: *Boletín de la Comisión Chilena de Cooperación Intelectual*, V (1943, núm. 34), 49-54.

Delgado, Feliciano. "Una carta perdida a Pablo Neruda". Madrid: *Razón y fe*, CXLIX (1954), 151-168.

Delano, Luis Enrique. "Esquema de la poesía joven en Chile". *Atenea*, XXVIII (1934, núm. 113), 24-35.

————. "Metamórfosis de Pablo Neruda". Santiago: *Aurora de Chile*, IV (1939, núm. 11), 6, 15.

————. "Pablo Neruda: poet in arms". New York: *Mainstream*, Fall (1947), 424-439.

Díaz Arrieta, Hernán (Alone). *Los cuatro grandes de la literatura chilena*. Santiago: Zig-Zag, 1963.

————. "El poeta chileno Pablo Neruda según el crítico

español Amado Alonso". Caracas: *Revista Nacional de Cultura,* II (1941, núm. 29), 103-105.

——. "Segundas ediciones de Pablo Neruda y Pedro A. González" (sobre la segunda edición de *Crepusculario*). Santiago: *La Nación,* 13 de marzo de 1927.

——. "Tres prosistas chilenos contemporáneos (Pablo Neruda, Pedro Prado y Augusto d'Halmar)". Santiago: *Zig-Zag,* 28 de abril de 1928.

——. "Los últimos libros de Pablo Neruda y Gabriela Mistral". Caracas: *Revista Nacional de Cultura,* (1955, núm. 110), 102-109.

Domínguez, M. A. "Lo abstracto y lo humano en la poesía de Pablo Neruda". La Plata: *El Argentino,* 18 de mayo de 1936.

Durán, Félix. "Respuesta al virulento ataque lanzado por el poeta Ricardo Paseyro contra Pablo Neruda". Bélgica: *Nuestras ideas,* (1959).

Durán Cerda, Julio. "Pablo Neruda, premio nacional de literatura". Santiago: *Boletín del Instituto Nacional,* X (1945, núm. 22).

Elliot, George. "Pablo Neruda". Santiago: *Andean Quarterly,* Christmas (1944), 5-11.

Ehrenburg, Ilya. "Carta a Pablo Neruda". *Repertorio Americano,* II de septiembre de 1943.

——. "Introducción a la antología *'Poesía política'* de Pablo Neruda". Santiago: Edit. Austral, 1953.

Estrada, Genaro. "Residencia en la Tierra de Pablo Neruda". México: *Revista de Revistas,* 26 de enero de 1936; La Plata: *El Argentino,* 26 de marzo de 1936.

Fernández Moreno, C. "Carta chilena: Neruda". Buenos Aires: *La Nación,* 30 de abril de 1944.

Finlayson, Clarence. "Los dioses de Neruda". *Repertorio Americano,* 8 de enero de 1945.

——. "Pablo Neruda en 'Tres cantos materiales'." Santiago: *Poetas y poemas.* (1938), 19-28.

——. "Pasaje en Pablo Neruda". Santiago: *Atenea,* LIV, (oct., 1938, núm. 60), 47-60.

——. "La visión de la muerte en Pablo Neruda". Medellín: *Universidad de Antioquia* VIII (1939), 207-227.

Florit, Eugenio. "Un nuevo acento de Pablo Neruda (Sobre: 'Odas elementales')". Nueva York: *Revista Hispánica Moderna*, XXII (1956, núm. 3-4), 34-36.

Fuenzalida, Héctor. "Odas elementales de Pablo Neruda". Santiago: *Anales de la Universidad de Chile*, CXIII (1955, núm. 100), 172-175.

Chumacero. Alí. Sobre: "Odas elementales de Pablo Neruda". Quito: *Casa de la Cultura Ecuatoriana*, XII (1959), 354-355.

Gallina, A. M. Sobre: "Poesia de Pablo Neruda" (Trad. por Salvatore Quasimodo). Torino: *Quaderni Ibero-Americani*, (1954, núm. 16), 549-550.

García, Pablo. "La poética de Pablo Neruda". Concepción: *Atenea*, CXII (1953), 76-90.

———. "El hondero entusiasta en la obra de Neruda". Santiago: *Pro-Arte* (núm. 174-175).

García Abrines, Luis. "La forma en la última poesía de Neruda" (Sobre: 'Odas elementales'). Nueva York: *Revista Hispánica Moderna*, XXV (1959), 303-311.

García Lorca, Federico. "Presentación de Pablo Neruda" en *Obras completas*. Madrid: Aguilar, 1960. p. 1721.

García Oldini, F. Sobre: "Crepusculario". Santiago: *Claridad*, octubre de 1923.

———. *Doce escritores*. Santiago: Nascimiento, 1929, pp. 141-154.

Garmendía, Hermann. "Pablo Neruda en el esfuerzo de la sencillez". Caracas: *El Universal*, 12 de marzo de 1957.

Gómez de la Serna, Ramón. *Nuevos retratos contemporáneos*. Buenos Aires: Sudamericana, 1945.

———. "Neruda, grandísimo poeta". Buenos Aires: *Saber vivir*, VII (1948, núm. 37).

González, José Luis. "Pablo Neruda", Nueva York: *Liberación*, 12 de marzo de 1949.

González Lanusa, Eduardo. "Epístola a Pablo". Buenos Aires: *Sur*, XVI (1947, núm. 157), 66-72.

González Muela, J. Sobre: "Navegaciones y regresos". Nueva York: *Revista Hispánica Moderna*, XXVII (1961), 152-153.

González Tuñón, Raúl. Sobre "España en el corazón". La Habana: *Literatura*, I (1938, núm. 2), 109-110.

——. "Neruda". Buenos Aires: *Cuadernos de cultura* (núm. 17), agosto de 1954.

Guerard, Albert. Sobre: "Viajes". Norman (Oklahoma): *Books Abroad, University of Oklahoma*, XXXI (1957, núm. 2).

Guerra, G. "Pablo Neruda". Santiago: *La Nación*, junio 10 de 1928.

Guillén, Nicolás. "Evocación de Pablo Neruda". Bogotá: *El Espectador*, 3 de abril de 1949.

——. "Pablo Neruda en La Habana". La Habana: *Hoy*, 3 de julio de 1950.

Halperin, M. "Pablo Neruda en México". *Books Abroad* (University of Oklahoma), XV (1941), 164-168

Hamilton, Carlos D. "Itinerario de Pablo Neruda". *Revista Hispánica Moderna*, XXII (1956, núm. 3-4), 286-297.

Hampejs, Zdenek. "Pablo Neruda Nemecky". Praga: *Casopis pro Moderni Filologii*, XXXVII (1955), 253.

Hays, H. R. 12 *Spanish American Poets*. New Haven, 1943, pp. 240-265.

Hernández, J. A., "Pablo Neruda, poeta insignia" Lima: *La Prensa*, 3 de noviembre de 1935.

Herrera Silva, J. "La musa en el país de las maravillas (Visión de la poesía chilena nueva)". *Atenea*, XXXI (1935, núm, 121), 22-50.

Iduarte, Andrés. Sobre: "Tercera Residencia". *Revista Hispánica Moderna*, XIII (1947), 42-43.

J. C. G. Sobre: "Obras completas de Pablo Neruda" Buenos Aires: *Ficción* (1957, núm. 11), 210-213.

Jiménez, Juan Ramón. *Españoles de tres mundos*. Buenos Aires: Losada, 1958, p. 124.

——. "Carta a Pablo Neruda". *Repertorio Americano*, 17 de enero de 1942.

Labrador, Luis Enrique "Neruda y los 'Versos del Capitán'." Caracas: *El Nacional*, 28 de febrero de 1957.

Lago, Tomás. "Allá por el veintitantos . . ." Santiago: *Pro-Arte, Julio* (1954, núm. 174-175), 15-31.

————. "La nueva poesía de Neruda". Caracas: *El Nacional,* 12 de mayo de 1955.

————. 8 *nuevos poetas chilenos.* Santiago: Sociedad de Escritores de Chile, 1939

L. A. M. Sobre: "Viajes", *Atenea,* CXXII (núm. 363-364), 373-375.

Lange, Norah. "En el cincuentenario de Pablo Neruda". *Atenea,* CXVI (1954), 178-184.

Latchman, Ricardo A. Sobre: "Veinte poemas de amor y una sanción desesperada". *La Revista Católica de Santiago de Chile,* XLVII (1924), 465-.

————. "Diagnóstico de la nueva poesía chilena" Buenos Aires: *Sur* (1931, núm. 3), 138-154.

Leo, Ulbrich. "Introducción a la poesía hermética". Santiago: *Boletín del Instituto de Filología de la Universidad de Chile,* VIII (1954-1955), 205-218. (Sobre: Neruda, Vallejo y Huidobro).

Lerín, Manuel. "El acento telúrico de Neruda". México. *El Nacional* 19 de septiembre de 1949.

————. "Neruda, padre poético". México. *El Nacional,* 27 de agosto de 1950.

Lipschutz. "Alturas de Machu-Pichu, visión indiana americana". *Repertorio Americano,* 10 de noviembre de 1949.

Liscano, Juan. "Ventana abierta: Pablo Neruda". Caracas: *El Nacional,* 22 de enero de 1959.

López Alvarez, Luis. "Neruda por segunda vez" (Respuesta a Ricardo Paseyro). Madrid: *Indice de Artes y Letras,* XII (1958, núm. 113), 12-.

Lora Risco, Alejandro. "Problemática y crítica de la poesía mestiza". Buenos Aires: *Revista de la Universidad de Buenos Aires,* IX (1952, núm. 21), 191-218.

Madrid-Malo, Néstor. "Colombia en el Canto general". Bogotá: *Espiral; letras y artes,* V (1952, núm. 40), 15-16.

Magnet, Alejandro. Sobre: "Dulce patria de Pablo Neruda". Santiago: *Política y espiritu,* IV (1949) 44-45.

————. Sobre: "Poesías completas de Pablo Neruda (Losada, 1951)". Santiago: *Política y espíritu,* VIII (1952), 27-28.

Manauta, Juan José. "Canto general, culminación del tema

del hombre en la poesía de Pablo Neruda". Bs.As.: *Cuadernos de cultura,* octubre de 1952.

Mancisidor, José. "A Pablo Neruda". México: *El Nacional,* 29 de agosto de 1949.

————— "Neruda y su Canto general". México: *El Nacional,* 11 de septiembre de 1950.

Marcenac, Jean. *Pablo Neruda.* París: Ed. Pierre Seghers Editeur, 1954.

Marín, Juan. "Neruda ha traído el dolor español". Santiago: *Ercilla,* III (1938, núm. 145).

Marinello, Juan. "Una historia que se repite: una advertencia al continente". *Repertorio Americano,* 19 de junio de 1948.

—————. "Palabras en el homenaje a Pablo Neruda". Manzanillo (Cuba): *Orto,* XXVIII (1939), 121-124.

—————. "Que se liberte el leñador". *Repertorio Americano,* 10 de septiembre de 1948.

Márquez, O. "Charlas literarias con don Pedro Prado: Charla peripatética sobre Pablo Neruda". Bogotá: *Universidad,* 18 de agosto de 1928.

Masiukevich, V. "Pablo Neruda, cantor de la paz y de la democracia". Moscú: *Bulletin de l'Academie des Sciences de l'U.R.S.S.,* VIII (1951, núm. 27), 21-22.

Mata, G. Humberto. "Neruda al seno de Dios". Santiago: *Multitud,* IV (1944, núm. 61-63).

Medina, José Ramón. "Aproximación a Neruda". Caracas: *El Nacional,* 2 de julio de 1959.

—————. "Razones y testimonios". Caracas: *Cuadernos literarios* (Asociación de Escritores venezolanos), 1960, 57-62.

Medri, Eduardo. "Anticipación testamentaria de Neruda". México: *El Nacional,* 11 de agosto de 1963.

Meléndez, Concha. "España en el corazón de Pablo Neruda". *Repertorio Americano,* septiembre 14 de 1950.

—————. "Imperios del estilo en Pablo Neruda". San Juan (Puerto Rico): *Brújula,* II (1936) 157-166

—————. "Leopoldo Santiago Lavandero y los poemas de Neruda". *Revista Hispánica Moderna,* III (1937), 338-339.

———. "Pablo Neruda en su extremo imperio". *Revista Hispánica Moderna*, II (1936), 1-32.

———. "Tercera Residencia de Pablo Neruda". San Juan de Puerto Rico: *Asonante*, VI (1950, núm. 2), 94-96.

Meo Zilio, J. "Influencia de Sabat Ercasty en Pablo Neruda". Montevideo: *Revista Nacional*, IV (1956,núm. 202), 589-625.

Meza Fuentes, R. "Perfil de un poeta". Santiago: *El Mercurio*, 22 de mayo de 1932.

Mistral, Gabriela. "Recado sobre Pablo Neruda". *Repertorio Americano*, 23 de abril de 1936.

Montero (?), Manuel. Sobre: "Cien sonetos de amor". Madrid: *Agora* (1961, núm. 52-52), 48-49.

Morales Alvarez, Raúl. "Habla Neruda: El arte del mañana será un quemante reportaje hecho a la actualidad". Santiago: *Ercilla*, III (1937, núm. 132).

Moreno Mora, V. "Tres poetas chilenos". Cuenca (Ecuador): *El Tres de Noviembre*, (1942, núm. 80-91), 349-365.

Mota, Francisco M. "Residencia de Pablo Neruda". Buenos Aires: *La Revista Americana de Bs. As.* LXX (1937, núm. 161), 19-31.

Mora, Manuel R. "Neruda o lo inverosímil", México: *El Libro y el Pueblo*. XV (1950, núm. 1). 8-11.

Murena, H. A. "A propósito del 'Canto general' de Pablo Neruda". Buenos Aires: *Sur*: (1951, núm. 198), 52-58.

Murga, R. "Crepusculario". Santiago: *Claridad*, septiembre de 1923.

N. M. M. Sobre: "Tercer libro de las Odas". Barranquilla: *Revista del Atlántico*, I (1958), 132-133.

Onís, Federico de. *Antología de la poesía española e hispanoamericana.* Madrid: Centro de Estudios Históricos, 1934, 1154-1155, 1195.

Orgambida, Pedro G. "Neruda en América". Buenos Aires: *Capricornio*, junio-julio de 1954.

Osirius, Leander. "Pablo Neruda". Santiago: *Las Novedades Literarias, Artísticas y Científicas*, I (1937, núm. 6), 1-2.

Oviedo, Emilio. 'La canción desesperada de Pablo Neruda: Itinerario de angustia". Concepción: *Atenea*, CVI (1952), 530-533.

Palación, Antonia. "París y tres recuerdos (Neruda, Aragón, Vallejo)". Caracas: *El Nacional*, 1944.

Palladín, A. "Pablo Neruda, poeta y tribuno". México: *U.R.S.S.; Boletín de Información*, VI (1944, núm. 31).

Palma, Oscar Edmundo. "Chile: Neruda". *Repertorio Americano*, 15 de agosto de 1952.

Paseyro, Ricardo. "El mito Neruda". París: *Cuadernos del Congreso por la libertad de la cultura*, (1957, núm. 28), 37-48.

————. "Neruda: vuelta y fin (Respuesta al señor Torres Rioseco)". París: *Cuadernos del Congreso por la libertad de la cultura*, (1958, núm. 30), 53-58.

————. "Pablo Neruda o el deshonor de la palabra. Sobre dos fundaciones de su mito". Madrid: *Indice de Artes y Letras*, XI (1957, núm. 107), 3-4, 25-26.

————. *La palabra muerta de Pablo Neruda*. Madrid: Indice (Cuadernos de política y literatura), 1958. (41 pags.).

Paz, Octavio. "Pablo Neruda en el corazón". México: *Ruta* (1938, núm. 4), 25-33.

————. "Respuesta a un cónsul". México: *Letras de México*, 15 de agosto de 1943.

Pedemonte, Hugo Emilio. "Asomo sobre un estravagario". Caracas: *El Universal*, 12 de febrero de 1959.

Peers, E. Allison. "Obra poética de Pablo Neruda". Liverpool: *Bulletin of Spanish Studies*, XXXV (1949, núm. 102, 117-120).

Peñaloza, Walter J. "La poesía de Pablo Neruda". Lima: *Tres*, (1940, núm. 4), 69-87.

Pérez Ferrero, M. "Dos poetas españoles en América y uno americano en Madrid". Madrid: *Tierra Firme*, II (1936), 23-45.

————. "El habitante y su libro". (Sobre: "El habitante y su esperanza)". Madrid: *La Gaceta Literaria*, octubre 1 de 1927.

Petit, Magdalena. "Pablo Neruda (analizado en una de sus poesías)". Concepción: *Atenea* XXIV (1933), 99-105.

Petrov, Iva. "Pablo Neruda". Santiago: *Ariel* (núm. 1), junio de 1925.

Picón-Salas, Mariano. "Nueva poética de Pablo Neruda". *Repertorio Americano*, 6 de diciembre de 1935.

———. "Pablo Neruda en 1935" en *Un viaje y seis retratos*. Caracas: Ed. Elite, 1940. (93 pags.) (Serie: Cuadernos Literarios de la Asociación de Escritores venezolanos).

Pinilla, Norberto. "Apuntaciones sobre Pablo Neruda". Santiago: *Sech; Revista de la Sociedad de Escrtiores de Chile*, I (1936, núm. 3), 50-56.

———. "España heroica y Pablo Neruda". *Repertorio Americano*, 16 de enero de 1937.

Polt, John H. R. "Elementos gongorinos en 'El gran océano' de Pablo Neruda". N.Y.: *Revista Hispánica Moderna*, XXVII (1961), 22-31.

Portogalo, J. "Conversación con Pablo Neruda". Buenos Aires: *Columna*, II (1938, núm. 9), 39-44.

Prado, Pedro. "Pablo Neruda y su libro Crepusculario". Santiago: *Zig-Zag*, octubre de 1923.

Prado, Rodríguez. "Que despierte el leñador". Nueva York: *España libre*, 26 de noviembre de 1948.

Prati, María Victoria. Sobre: "Poesía y estilo de Pablo Neruda de Amado Alonso". Bs. As.: *Sur*, X (1941, núm. 82), 69-76.

Prats, A. "El poeta chileno Pablo Neruda dice que el mundo da la sensación de que se hace pedazos". *Repertorio Americano*, 23 de abril de 1936.

Préndez Saldías, C. "Poetas chilenos en Atenea". Concepción *Atenea*, XXIV (1933, núm. 100), 294-305.

Puccini, Darío. "El último Neruda. Los sentimientos primordiales". Roma: *Il Contemporáneo*, junio de 1956.

———. "La poesía di Neruda tra la Metáfora e l'epos". Milán: *América Latina*, I (1952, núm. 1), 18-20.

Real de Azúa, Carlos, Emir Rodríguez Monegal y Angel Rama. "Evasión y arraigo de Borges y Neruda". Montevideo: *Revista Nacional*, (1959), 514-530.

Revueltas, José. "Un juicio de J. R. Jiménez: América sombría". México: *El Popular*, 13 de marzo de 1942.

Rejano, Juan. "Neruda, los críticos y el silencio". México: *El Nacional*, 5 de julio de 1950.

————. "El nerudismo y otros excesos". México: *El Nacional,* 31 de agosto de 1950.

Rivas, Mario. *Exégesis del poema Alturas de Machu Pinchu.* Santiago: Imprenta y Litografía Stanley, 1955.

Rodríguez Monegal, Emir. "Con Pablo Neruda en Montevideo: Políticos, poetas y bibliófilos". Montevideo: *Marcha,* XIV, (1952, núm. 635).

Rodríguez Fernández, Mario. "Imagen de la mujer y el amor en un momento de la poesía de Pablo Neruda". Santiago: *Anales de la Universidad de Chile,* CXX (1962, núm. 125), 74-79.

Rojas Paz, Pablo. *Cada cual y su mundo.* Buenos Aires: Poseidón, 1944.

————. "Neruda es precursor de una nueva poética". Santiago: *Ercilla,* III (1937, núm. 134), 12-.

————. "Pablo Neruda. La poesía y su inseguridad". Bs. As.: *Nosotros,* V (1937), 121-134.

Rosenbaum, Sidonia C. "Pablo Neruda: Bibliografía". *Revista Hispánica Moderna,* III (1936), 32-34.

Salazar y Chapela, Esteba. "Carta de Londres" (Sobre: Obras completas, Losada, 1957). Buenos Aires: *Negro sobre blanco,* (1958), 34-36.

————. "El habitante y su esperanza". Madrid: *El Sol,* 25 de septiembre de 1927.

————. "Pablo Neruda". Caracas: *El Nacional,* 26 de junio de 1958.

Salmon, Robert. Sobre: "Poesía y estilo de Pablo Neruda, de Amado Alonso". Mendoza (Rep. Arg.): *Anales del Instituto de Linguística.* I (1941), 184-189.

Sanclemente, Alvaro. "La pasión en la poesía de Pablo Neruda". Bogotá: *Revista de las Indias,* XXIX (1946, núm. 91), 41-58.

Sánchez, Luis Alberto. "Pablo Neruda". México: *Cuadernos Americanos,* XXI (1962, núm. 2), 235-2⁴7.

Sánchez Trincado, José Luis. "Pablo Neruda". *Repertorio Amerciano,* 9 de mayo de 1942.

Sanhueza, Jorge. "Pablo Neruda y las ediciones de sus obras". Santiago: *Pro-Arte,* (julio de 1954), 15-31.

Santos Chocano, José. "Panorama lírico: A través de un

recital poético (de Neruda)". *Repertorio Americano,* 8 de junio de 1935.

Sarandy, Cabrera. "Primera teoría del Canto general". Montevideo: *Número,* III (1951, núm. 13-14), 189-195.

Seghers, Anna. "Gruss an Pablo Neruda". *Neue Deutsche Literatur,* II (núm. 7).

Selva, Mauricio de la. "Pablo Neruda: Sencillez, esperanza y muerte". La Habana: *Humanismo; Revista de orientación democrática,* IX (1960, núm. 62-63), 176-185.

Serrano Plaja, Arturo. "Letras: Pablo Neruda". Madrid: *Revista de las Españas,* (1938, núm. 102), 26-.

Silva Castro, Raúl. "Notas sobre la juventud literaria en Chile". Santiago: *Claridad,* julio de 1923.

————. *Retratos literarios.* Santiago: Ercilla, 1932, pp. 199-215.

Soto, Luis Emilio. "Exploración crítica de la poesía de Pablo Neruda". Buenos Aires: *Argentina Libre,* 16 de enero de 1941. (Sobre: "Poesía y estilo de Pablo Neruda" de Amado Alonso).

Subercaseaux, B. "El Pablo Neruda de Arturo Aldunate". *Sech; Revista de la Sociedad de Escritores de Chile,* I (1936, núm. 3), 56-59.

Sucre Figarella, Guillermo. Sobre "Las uvas y el viento". Caracas: *El Nacional,* 24 de junio de 1954.

Teitelboim, Volodia. "Algo sobre los 50 años de Neruda". Caracas: *El Nacional,* 7 de mayo de 1954.

Thenon, Susana I. "Pablo Neruda. El habitante y su esperanza". Buenos Aires: *Ficción* (1957, núm. 9), 180-181.

Torre, Guillermo de. "Un poeta chileno en Madrid: Pablo Neruda y su último libro Residencia en la Tierra". Madrid: *Luz,* 17 de agosto de 1934.

————. "Carta abierta a Pablo Neruda". México: *Cuadernos Americanos,* X (1951, núm. 3), 277-282.

Torre, Manuel. "Estética y lógica de lo barroco en Pablo Neruda". México: *El Nacional,* 10 de octubre de 1950.

Torres-Rioseco, Arturo. Sobre: "Crepusculario". Santiago de Chile: ...., 1923.

————. "Neruda y sus detractores". París: *Cuadernos del*

Congreso por la libertad de la cultura, (1958, núm. 30), 40-52.

Trigueros, León de. 'Bajo el signo de Neruda". La Habana: América; Revista de la Asociación de Escritores y Artistas Americanos, VII (1940, núm. 1), 70-71.

Tudela, Ricardo. "Ricardo Tudela llama épico al último libro de Pablo Neruda" (Sobre: "España en el corazón). Santiago: Ercilla, III (1938, núm. 145).

Tuiñón, Federico. "La lección de Pablo Neruda". Repertorio Americano, 13 de octubre de 1943.

Undurraga, Antonio de. "Poesía y aquellarre: Neruda y su técnica". Caracas: Revista Nacional de Cultura, XII (núm. 138), 51-68.

Valbuena Briones, Angel. "La aventura poética de Pablo Neruda". México: Cuadernos Americanos, XX (1961), 205-223.

Valenzuela Pinto, Marcio. "La universalidad de la poesía chilena". México: El Nacional, 15 de febrero de 1959. Sobre Pablo Neruda y Gabriela Mistral).

Valle, Rafael Heliodoro. "Pablo Neruda, profeta en su América". San Salvador: Centro América, noviembre de 1940.

Vergara, Noemí. "Pablo Neruda, el poeta". Buenos Aires: Boletín del Colegio de Graduados de la Facultad de Filosofía y Letras, IX (1939, núm. 266-27), 26-28.

Vitureira, Ciprano S. "O poeta do povo". Sao Paulo: Letras, III (1945, núm. 29), 39-41.

Vivanco, L. F. "La desesperación en el lenguaje" (Sobre: "Residencia en la Tierra)". Madrid: Cruz y Raya, (1933, núm. 8), 149-158.

Vuolo, E. Sobre: "Canto general de Pablo Neruda". Roma: Cultura Neolatina. XV (1955), 50-55. (Bolletino dell'-Istituto di Filologia Romanza della Unversitá di Roma).

Xammar, L. Sobre: "Poesía y estilo de Pablo Neruda" de Amado Alonso. Lima: Tres, (1941, núm. 9).

Yurkievich, Saul. "Realidad y poesía (Huidobro, Vallejo, Neruda)". La Plata (Rep. Arg.): Humanidades (Publicación de la Facultad de Ciencias de la Educación. Universidad Nacional de la Plata), XXXV (1960), 251-277.

Zeller, Ludwig. "Apuntes sobre Poesía Chilena". Buenos Aires: *Sexto Continente,* noviembre-diciembre de 1950.

3. *Libros*

Aldunate Phillips, Arturo. *El nuevo arte poético y Pablo Neruda.* Santiago de Chile: Editorial Nascimiento, 1936.

Alonso, Amado. *Poesía y estilo de Pablo Neruda: interpretación de una poesía hermética.* Buenos Aires: Editorial Sudamericana, 1951. (Segunda edición aumentada).

Cardona Peña, Alfredo. *Pablo Neruda y otros ensayos.* México: Ediciones de Andrea (Colección Studium 7), 1955.

Lellis, Mario Jorge de. *Pablo Neruda.* Buenos Aires: La Mandrágora, 1959.

Osses, Mario. *Trinidad poética de Chile: Angel Cruchaga Santa María, Gabriela Mistral y Pablo Neruda.* Santiago: Universidad de Chile, 1947.

Paseyro, Ricardo- - Arturo Torres-Rioseco - Juan Ramón Jiménez. *Mito y verdad de Pablo Neruda.* México: Asociación mexicana por la libertad de la cultura, 1958.

Pérez Galo, René. *Cinco rostros de la poesía* (Miguel Hernández, F. García Lorca, César Vallejo, P. Barba Jacob, P. Neruda). Quito: Editorial Universitaria, 1960.

Rokha, Pablo de. *Neruda y yo.* Santiago de Chile: Editorial Multitud, 1955.

Salama, Roberto. *Para una crítica de Pablo Neruda.* Buenos Aires: Editorial Cartago, 1957.

4. *Historias de la literatura chilena e hispanoamericana*

(Sobre la época; bibliografía mínima y selecta)[1]

Anderson Imbert, Enrique. *Historia de la literatura hispanoamericana.* 2 vols. México: Fondo de Cultura Económica, 1962. (Cuarta edición).

Azocar, Rubén. *La poesía chilena moderna.* Santiago de Chile: Ediciones Pacífico del Sur, 1931.

Azoffeifa, Isaac F. *Estampas de la poesía chilena.* San José de Costa Rica: Imprenta Lehmann, 1939.

Corvalán, Octavio. *El Postmodernismo*. New York: Las Américas Publishing Co., 1961.

Díaz Arrieta, Hernán (Alone). *Historia personal de la literatura chilena;* (Desde don Alonso de Ercilla hasta Pablo Neruda). Santiago de Chile: Zig-Zag, 1962. (Segunda edición).

Gatica Martínez, T. *Ensayos sobre la literatura hispanoamericana.* I: La poesía lírica de Chile, Argentina y Perú. Santiago de Chile: Editorial Andes, 1930.

Ghiano, Juan Carlos. *Poesía argentina del siglo XX.* México: Fondo de Cultura Económica, 1957.

Hamilton, Carlos. *Historia de la literatura hispanoamericana.* New York: Las Américas Publishing Co., 1961.

Henríquez Ureña, Pedro. *Las corrientes literarias en Hispanoamérica.* México: Fondo de Cultura Económica, 1949.

Iglesias, Augusto. *Gabriela Mistral y el modernismo en Chile.* Santigao de Chile: Ediciones Universitaria, 1949.

Latorre, Mariano. *La literatura de Chile.* (Las literaturas americanas, vol. 4). Buenos Aires: Facultad de Filosofía y Letras de la Universidad de Buenos Aires. Instituto de Cultura Latinoamericana, 1941.

Lillo, S. A. *Literatura chilena.* Santiago: Editorial Nascimiento, 1930.

Marinello, Juan. *Literatura hispanoamericana, hombres, meditaciones.* México: Universidad Nacional de México, 1937.

Melfi, Domingo. *Estudios de literatura chilena.* Santiago: Editorial Nescimiento, 1938.

Merino Reyes, Luis. *Panorama de la literatura chilena.* Washington, D.C.: Unión Panamericana (Serie: Pensamiento de América), 1959.

Monguió, Luis. *La poesía postmodernista peruana.* México: Fondo de Cultura Económica, 1954.

Montes, Hugo y Julio Orlandi. *Historia de la literatura chilena.* Santiago de Chile, 1955.

Sánchez, Luis Alberto. *Escritores representativos de América.* Madrid: Gredos, 1957.

Silva Castro, Raúl. *Panorama literario de Chile.* Santiago: Editorial Universitaria, 1961.

Torre, Guillermo de. *La aventura estética de nuestra edad y otros ensayos*. Barcelona: Editorial Seix Barral, 1962.

Torres-Rioseco, Arturo. *New World Literature; tradition and revolt in Latin America*. Berkeley: University of Cailifornia, 1949.

Valbuena Briones, Angel. *Literature hispanoamericana*. Barcelona: Editorial Gustavo Gil, 1962.

Zum Felde, Alberto. *Proceso intelectual del Uruguay y crítica de su literatura*. Montevideo: Imprenta Nacional Colorada, 1930.

NOTA

En esta sección se incluyen solamente libros y ensayos sobre la época, mientras que la bibliografía más general de historia, literatura y estética figura repartida a lo largo de las notas al final de cada capítulo.

DATE DUE

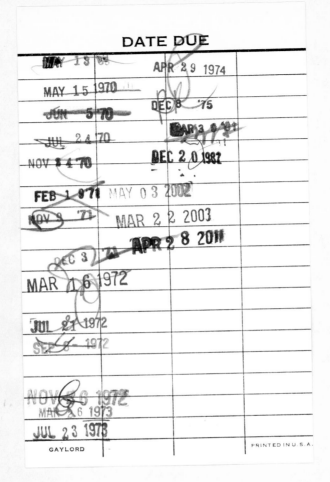